suhrkamp taschenbuch 1524

Thomas Bernhard wurde 1931 in Heerlen (Holland) geboren. Er starb 1989 in Österreich. Sein Werk im Suhrkamp Verlag ist auf S. 351 dieses Bandes verzeichnet.

Am 29. Juni 1970 hatte am Deutschen Schauspielhaus in Hamburg Thomas Bernhards Theaterstück *Ein Fest für Boris* in der Regie von Claus Peymann Premiere. In den beiden folgenden Jahrzehnten sollten die Stücke dieses Autors das deutschsprachige Theater entscheidend prägen. Der hier vorliegende erste Band enthält die zwischen 1970 und 1974 uraufgeführten Stücke, die fast schon den Rang von Klassikern besitzen. Wer kennt nicht den Satz, mit dem der Zirkusdirektor Caribaldi seine Mitarbeiter zur Einstudierung des »Forellenquintetts« antreibt? (Über *Die Macht der Gewohnheit* schrieb Benjamin Henrichs: »Wollte man nun feierlich sein, müßte man wohl sagen: die erste deutsche Komödie seit undenklich langer Zeit.«) Oder die Unterhaltungen zwischen dem Schriftsteller und General und Generalin in dem von einem abgestorbenen Wald umgebenen Jagdhaus?

Thomas Bernhard

Stücke 1

Ein Fest für Boris
Der Ignorant und der Wahnsinnige
Die Jagdgesellschaft
Die Macht der Gewohnheit

Suhrkamp

Umschlagfoto:
Die Jagdgesellschaft:
Uraufführung: Burgtheater, Wien, 4. Mai 1974
Regie: Claus Peymann
Foto: Hausmann/Österreichischer Bundestheaterverband

suhrkamp taschenbuch 1524
Erste Auflage 1988

Druck: Nomos Verlagsgesellschaft, Baden-Baden
Printed in Germany
Umschlag nach Entwürfen von
Willy Fleckhaus und Rolf Staudt

8 9 10 11 12 – 06 05 04 03

Inhalt

Ein Fest für Boris

»Zugegeben, daß Premieren gewöhnlich
unerträgliche Examen
und eine Verhöhnung der Kunst sind.«

Alexander Block

Personen

DIE GUTE, *beinlos*
JOHANNA
BORIS, *beinlos*
DREIZEHN BEINLOSE KRÜPPEL *aus dem Krüppelasyl*
ZWEI DIENER
ZWEI PFLEGER

Alle Beinlosen in Rollstühlen

Im Haus der Guten

Erstes Vorspiel

Leerer Raum. Hohe Fenster und Türen
Die Gute rechts
Johanna tritt von links mit einem Tisch ein und stellt ihn neben die Gute

DIE GUTE

Es ist kalt
Johanna rückt den Tisch noch näher an die Gute heran und stellt sich selbst hinter sie
Es ist doch kalt
Bringen Sie mir die Decke
Johanna zögert
Die Gute herrscht sie an
Bringen Sie mir die Decke
Mich friert
weil ich schon eine Stunde da sitze
und mich nicht rühre
Johanna will gehen
Warten Sie
warten Sie
Haben Sie die Briefe aufgegeben
die Briefe den Brief an das Asyl
an den Bürgermeister
an den Polizeidirektor
erkennt, daß sie sie nicht aufgegeben hat
Also zerreißen Sie sie
werfen Sie sie weg
Johanna will weggehen
Nein bringen Sie sie her

JOHANNA

Alle

DIE GUTE

Alle
Heute sind es grüne
und morgen wieder weiße Kuverts
und so weiter

Sie lachen schon länger als drei Jahre darüber
Wenn Sie nur diese Krankheit aus mir herauslachen könnten
Bringen Sie mir doch die Briefe her
damit ich sie alle zerreißen kann
Alles ist jeden Tag tagtäglich
eine Wiederholung von Wiederholungen
Die ganze Nacht und den ganzen Vormittag
habe ich wieder Briefe geschrieben
Unwahrheiten
Unzulänglichkeiten
Lügen
Lügen von Lügen
Warum lüge ich
Alle diese Lügen sind Verfinsterungen
daß alles wahr ist und wirklich
schreiend
Warum verbieten Sie mir denn nicht
Briefe zu schreiben
Wenn ich nur plötzlich
ganz plötzlich
keine Adresse mehr wüßte
von den Adressen nichts wüßte
keine Adresse
Wenn mir plötzlich kein Name
kein einziger Name mehr einfiele
Wenn ich nichts mehr wüßte
was mit diesen Adressen und Namen zusammenhängt
Es tötet mich
es tötet mich Johanna
Aber jede Nacht schreibe ich diese Briefe
Johanna ab
Eine einzige Lüge
alles
schreit ihr nach
Daß Sie mich keine Briefe mehr schreiben lassen
Warum nehmen Sie mir denn nicht das Briefpapier weg
Nehmen Sie es mir doch weg
Wenn Sie sehen daß ich anfange
Briefe zu schreiben
daß das Wahnsinn ist
Unwahrheiten

Lügen
Ich befehle Ihnen mich keine Briefe mehr
schreiben zu lassen
zu sich
ich will einschlafen
und kann nicht einschlafen
und ich denke nach
wieder laut
Und dann befehle ich Ihnen
mir das Briefpapier zu bringen
und Sie bringen mir das Briefpapier
zu sich
ich muß etwas tun
wenn ich nichts tue
nichts
fürchterlich
Johanna mit den Briefen herein
Geben Sie her
versteckt die Briefe in der Tischlade
Später
später
Warum gibt es denn heute keine Zeitungen

JOHANNA
Sie streiken

DIE GUTE
Wer streikt

JOHANNA
Die Drucker

DIE GUTE
Die Drucker

JOHANNA
Alle streiken

DIE GUTE
Alle streiken
Auf einmal streiken alle
Alles streikt
Alles

JOHANNA
Überall wird gestreikt

DIE GUTE
Alles streikt

Dieser Streik wird sich auch auf uns auswirken
Wenn er lang dauert
Ist genug Gemüse im Haus
Obst
Fleisch
Wenn der Streik länger dauert
Alles deutet darauf hin
daß der Streik länger dauert
Keine Zeitungen
das ist fürchterlich
Die Inserate
Die Mordfälle
und das Wetter
Von den Büchern abgesehen
gibt es keine Abwechslung mehr für mich
Bringen Sie mir doch die Decke
Johanna ab
Die Gute sinniert
Lesen lesen
laut
Übrigens haben Sie mir gestern wieder
ein Theaterstück gegeben in dem ein Mann vorkommt
der keine Beine mehr hat
mit Vorliebe geben Sie mir in letzter Zeit eine Literatur
in der Verkrüppelte eine Rolle spielen
infam
aber ich verzeihe Ihnen
wir verzeihen uns
Sie sind ja nicht b ö s w i l l i g
Sie sind b ö s a r t i g
nicht b ö s w i l l i g
dieser kleine Unterschied auf der zweiten Silbe
macht Sie mir immer wieder erträglich
Verbieten Sie es mir jemals wieder einen einzigen Brief zu schreiben
Sie müssen es mir versprechen
Johanna mit einer Decke herein, deckt die Gute zu
Ich kann nicht einschlafen
und lese diese Romane diese Theaterstücke
plötzlich laut
Machen Sie doch die Fenster auf

ich ersticke
Johanna öffnet die Fenster
Sie müssen es mir unmöglich machen
unmöglich
Wenn ich die Briefe nicht abschicke
macht es nichts
leise
Sie müssen es verhindern
es mir verwehren
Die Wahrheit ist daß kein Mensch von mir einen Brief will
niemand
nichts
weil ich immer auf einem einzigen Fleck sitze
Da da
fällt mir natürlich viel ein
mir fällt so viel ein daß ich Angst habe
meine Einfälle könnten tödlich sein
meine Einfälle
Niemand hat Zeit für Briefe
Für Einfälle
es ist wahr die Leute haben keine Einfälle
weil sie keine Zeit haben
für Einfälle
und sie haben keine Zeit
weil sie keine Einfälle haben
niemand lebt gern gespenstisch
Ich habe die längste Zeit
und ich habe gar keine Zeit
das ist mein Unglück
Mich langweilen meine Einfälle
Wenn ich auf einmal keine Einfälle mehr hätte
Meine Bewegungslosigkeit Johanna
Wenn ich sage zerreißen Sie meine Briefe
gehn Sie hinaus und lesen Sie sie
und erst wenn Sie sie gelesen haben
werfen Sie sie weg
Zerreißen Sie sie
Und wenn ich sage Sie dürfen sie
bevor Sie sie wegwerfen nicht lesen
lesen Sie sie
Ich habe meine Briefe immer zerrissen weggeworfen

in den ganzen zehn Jahren die mein Mann tot ist
habe ich alle Briefe immer wieder zerrissen
es ist wahr
ich habe nicht einen einzigen Brief abgeschickt
Geben Sie zu daß das wahr ist
Zerrissen
verbrannt
Es gibt gar keinen Grund mich so aufzuregen Johanna
Warum rege ich mich denn auf
auf einen Brief den man nicht abschickt
kann keine Antwort
Nein nein Johanna
Mit den Fragen die Antworten und so weiter
Johanna Sie bilden sich ein daß Sie alles über mich wissen
weil Sie drei Jahre in meinem Haus sind
weil Sie drei Jahre da sind
vorher haben Sie nicht existiert
Sie bilden sich alles ein
Johanna ab
Sie kennt alles
sie weiß alles
sie weiß was in meinen Schubladen ist
laut, ihr nach
Das wissen Sie natürlich
Sie haben recht
Sie sind drei Jahre in meinem Haus
Johanna kommt mit einer riesigen weißen Schachtel herein
Was ist denn das

JOHANNA
Die Handschuhe die Hüte

DIE GUTE
Die Handschuhe die Hüte
Johanna stellt die Schachtel auf den Tisch
Die Handschuhe die Hüte
probiert von jetzt an, bis der Vorhang fällt, ununterbrochen lange, mindestens bis zu ihren Ellenbogen reichende rote und grüne, gelbe, aber vor allem weiße und schwarze Handschuhe und große Frühjahrshüte in den gleichen Farben und Johanna ist ihr dabei behilflich
Haben Sie dem Handschuhhändler gesagt
daß ich mir nur ein einziges Paar aussuche

daß ich mich nicht sofort entscheide
Ein Paar Handschuhe
Einen Hut
Sie wissen natürlich
was ich besitze
Sie kennen meinen Besitz
wie ich hier sitze
in meinem Sessel
alles
Sie kennen alles
Wenn Sie wüßten was es alles gibt
das Sie nicht kennen
lacht auf
Meinen schlechten Geschmack
der eine Folge meines guten Geschmacks ist
Weil Sie eine intelligente Person sind
Und weil Sie so intelligent sind
schweigen Sie oft
Es ist Mißbrauch
alles ist Mißbrauch
Auf intelligente Weise Ihre Schweigsamkeit
die Schweigsamkeit Ihrer Intelligenz
Ihre Intelligenz einen langen geistreichen Satz
völlig fehlerfrei auszusprechen
einen langen geistreichen
zum Beispiel mit dem Französischen zusammenhängenden Satz
völlig fehlerfrei auszusprechen
obwohl Sie diesen Satz überhaupt nicht verstehen
und obwohl Sie diesen Satz vorher
überhaupt noch niemals gehört haben
gelesen oder gehört haben
Ausländische Namen sprechen Sie
hochintelligent aus
die französischen Umstandswörter zum Beispiel
Sie sind eine ausgezeichnete Vorleserin
die die schwierigsten Sätze
völlig fehlerfrei aussprechen kann
Seit zehn Jahren ist für mich das wichtigste
daß ich eine ausgezeichnete Vorleserin habe
Ihre Vorgängerin
Nein

eine Vorleserin die die schwierigsten Sätze
völlig fehlerfrei aussprechen kann
französische Namen sprechen Sie doch ganz ausgezeichnet aus
zum Beispiel das Wort o u b l i é
Wie Sie das aussprechen
nicht so schnell
Sie sehen ja daß mir der Handschuh zu klein ist
die sind mir alle zu klein
wirft ein Paar auf den Boden
Johanna hebt sie auf
Die andern die andern
wirft ihr einen Handschuh ins Gesicht
Es ist nicht meine Schuld
es ist fürchterlich einen Satz völlig falsch ausgesprochen
hören zu müssen
wenn Sie wüßten wie mich das schmerzt
Das sind m e i n e Schmerzen Johanna
Wie alt sind Sie
sagen Sie mir wie alt
Sie sind
Sie sagen es mir nicht weil ich Sie jeden Tag frage
wie alt Sie sind
Aber ich will wissen wie alt Sie sind
Nein ich erlasse es Ihnen
Sie brauchen mir nicht zu sagen wie alt Sie sind
Heute nicht
Jetzt nicht
Den weißen den weißen
Johanna zieht ihr einen weißen Handschuh an, setzt ihr einen weißen Hut auf
Ich habe immer wieder die Feststellung gemacht daß Leute
die von dem was sie vorlesen
nicht die geringste Ahnung haben
dieses Vorzulesende ganz ausgezeichnet vorlesen
Einmal haben Sie ein Kapitel gekannt
erinnern Sie sich
Sie wissen was für ein Kapitel
Sie können sich genau erinnern
Sie haben es unerlaubterweise
bevor Sie es mir vorgelesen haben selber gelesen
und es ist unerträglich gewesen

Ihnen zuzuhören
Erinnern Sie sich
wir haben die Vorlesung abbrechen müssen
abbrechen
Wir haben die Vorlesung abgebrochen
Sie brechen mir ja die Finger
Wie Sie mir den Artikel über meinen Besuch bei den
Waisenkindern und in den städtischen Hilfsschulen
vorgelesen haben
mit einer unglaublichen Sicherheit
Sie haben einen erstaunlichen Sinn
für verbrecherische journalistische Satzgefüge
Erinnern Sie sich
ich denke die ganze Zeit darüber nach
was es ist das eine so große Rolle
zwischen uns beiden spielt
Wenn ich Sie sehe
wenn ich Sie nur höre
Ich brauche Sie nur hören
ich brauche nur an Sie denken
ist es schon da
Wenn ich nur an Sie denke
Warum mißtraue ich Ihnen
Jetzt sind Sie schon drei Jahre im Haus
und ich mißtraue Ihnen
bis in Ihre Gedankengänge hinein
Wie ich Sie zum erstenmal gesehen habe
da war dieses Mißtrauen
setzt einen grünen Hut auf, zieht grüne Handschuhe an
Ein Regentag
ein entsetzlicher Regentag
erinnern Sie sich daß es ein Regentag war
Sie haben mich abgestoßen
Die Wahrheit ist daß Sie mich vom ersten Augenblick an
abgestoßen
infiziert haben mit Ihrer Krankheit
Wir stehen in einem Krankheitsverhältnis zueinander
die ganze Welt besteht aus solchen Krankheiten
die alle nicht diagnostiziert sind
lacht
Ich habe gesagt Sie sollen sich umziehen

umziehen
dableiben
Sie sind in meinen Besitz übergegangen
Ziehen Sie sich um und bleiben Sie da
habe ich gesagt
und Sie haben sich umgezogen und Sie sind dageblieben
Ihre Stimme
Ihr Sinn für Kleinigkeiten
reißt sich die Handschuhe von den Händen und den Hut vom Kopf und wirft alles auf den Boden
für die lächerlichen Zusammenhänge
Vor allem hat mich die Art wie Sie die Vorhänge zugezogen haben
abgestoßen
Wie Sie die Vorhänge aufgemacht haben
schaut auf den Boden
Heben Sie sie doch auf
Warum heben Sie sie denn nicht auf
Johanna hebt Hut und Handschuhe auf
Die Gute wirft, nachdem Johanna Hut und Handschuhe aufgehoben hat, alles so weit als möglich weg
Bringen Sie mir alles her
Johanna holt Hut und Handschuhe
Sie ziehen die Vorhänge jetzt anders zu
nicht mehr so abrupt
Das wäre kein Unterschied
Schon am ersten Tag haben Sie sich
in Widersprüche verwickelt
das hat mich sofort
interessiert
Sie haben gesagt Sie hätten als fünfjähriges Kind
Ihre Eltern verloren
Es war gelogen
Ihr Vater war groß
Sie haben ihn klein geschildert
Sie sind in einem engen Zimmer aufgewachsen
Ihre Mutter hat singen können
Sie haben es nur nicht gehört
Sie haben mit einem Hund ein Verhältnis gehabt
Sie haben es nur nicht bemerkt
Die grünen
die grünen

probiert grüne Handschuhe, setzt einen grünen Hut auf
Sie haben das ganze erste Jahr nicht
von meinem verstorbenen Mann gesprochen
als ob Sie gefühlt hätten daß Sie das ganze erste Jahr
nicht von meinem verstorbenen Mann sprechen dürfen
Ihre Feinnervigkeit
Ihr absolutes Gefühl
für das Erhabene
Johanna
Sie haben es gefühlt
aber nach einem Jahr haben Sie mich plötzlich gefragt
und ich weiß sogar noch wo
vor dem Fenster dort
diese Situation
Wir haben von den Zuständen
die im Asyl herrschen gesprochen
und daß ich daran denke
mir einen dieser erbärmlichen Krüppel aus dem Asyl
ins Haus zu nehmen
einen solchen Krüppel zu heiraten
Da haben Sie mich gefragt ob mein Mann
noch etwas gesagt hat
Nein nichts
Sie haben mich immer wieder gefragt ob mein Mann
noch etwas gesagt hat
Ihre Rücksichtslosigkeit
Auf Ihre krankhafte Weise
Sie wollten Einzelheiten erfahren
Mein Mann war sofort tot
Ich war nicht tot
Aber mein Mann war sofort tot
mir fehlten die Beine
Immer wollen Sie etwas in Zusammenhang mit dem Unfall hören
in Zusammenhang mit diesem Abend
Wenn Sie mich gleich was gefragt haben
Wenn Sie mich nach meinem Schlafrock fragen
nach meiner Halskette
Wenn Sie mich fragen ob ich hinaus will oder hinunter
fragen Sie doch nur
wie der Unfall gewesen ist

Dieser Regentag
Ich habe gewußt Sie sind die richtige Person für mich
Einen Krüppel habe ich gesagt
einen Krüppel der wie ich
keine Beine mehr hat
ins Haus
heiraten
Boris
Der ganze Vorgang erinnert mich an den Nachmittag
an dem ich mir den Hund gekauft habe
In dem Augenblick in dem ich gewußt habe
jetzt besitze ich Sie
habe ich den Hund nicht mehr haben wollen
Sie haben selbst den Hund weggeführt
Sie erinnern sich doch daß Sie den Hund weggeführt haben
hinausgeführt
hinuntergeführt
Sie haben den Hund gehaßt
Sie sind froh gewesen daß der Hund nicht mehr da war
Johanna will etwas sagen
Schweigen Sie
Sie haben den Hund vom ersten Augenblick an gehaßt
Sie haben den Hund entdeckt
Sie haben sich selbst entdeckt
und haben ihn gehaßt
und haben sich selbst gehaßt
Sie haben das arme Tier gehaßt
Sie hätten es neben dem Hund nicht ausgehalten
Es ist mir nicht schwergefallen mich von dem Hund zu trennen
Er hat nicht mehr zu mir heraufspringen können
er war alt
Ich habe ihn hier
sehen Sie
hier
auf dem Schoß hier
festgehalten
Der Hund hat mir nicht halb soviel Schwierigkeiten gemacht
Der Hund ist schon an der Leine aber Sie
Bei Ihnen hat es ein Jahr gedauert
aber da ich gewußt habe
daß es schwierig ist

weil Sie so kompliziert sind
Ihre Vorgängerinnen
Nein
Keine so kompliziert wie Sie
Die Schwierigkeit war und ist
daß Sie nicht vom Land sind
Ihre Vorgängerinnen sind vom Land gewesen
das vereinfacht
Es war mir vom ersten Augenblick an klar daß es mit Ihnen
nicht so leicht gehen wird
Sie haben sich gewehrt
Sie haben mich gehaßt
Sie hassen mich
Damals haben Sie mich gehaßt ohne zu wissen
warum Sie mich hassen
Sie haben sich diesen Posten nicht so vorgestellt wie er ist
leichter
Sie haben sich alles leichter vorgestellt
Vorstellungen
falsche Vorstellungen
Dieses Haus und ich
Aber Ihre Komplikationen
sind nicht so schwierig wie meine Komplikationen
Sie sind ungewöhnlich intelligent
und unsinnig
Wenn sich zwei Menschen zur gegenseitigen Gewohnheit machen
und
obwohl sie verzweifeln
diese Gewohnheit zu ihrer Kunst machen
ich sehe Sie noch in Ihren geschmacklosen Strümpfen
diese geschmacklosen Schuhe die Sie angehabt haben
dieser Regentag
Wir haben uns beide zur Gewohnheit gemacht
Wenn man anfängt das auszuhalten
Gewohnheit
Verlogenheit
Meine Gewohnheit wenn sie eine Gewohnheit ist
Mit den Dienstboten ist alles ein Mißverständnis
Zuerst haben Sie sich gewehrt
Sie haben ausbrechen wollen
weg

Ihre Ausbruchsversuche
An jeden Ihrer Ausbruchsversuche kann ich mich erinnern
Sie sind nicht weggegangen
wirft Johanna einen Handschuh ins Gesicht
Sie haben Angst gehabt Angst
und aus dieser Angst
aus unser beider Angst ist dann dieser fürchterliche
Dauerzustand geworden
Sie haben immer mehr Geld verlangt
Ich habe Ihnen immer mehr Geld gegeben
aber schließlich mit Ihren Gefühlen
alles wieder ruinieren müssen
Sie haben mir damals nacheinander die ganzen berühmten
russischen Romane des neunzehnten Jahrhunderts vorgelesen
Sie erinnern sich
Oblomow
Dolgorukij
Verrückt
Ein Krüppel hat Sie
hat uns besiegt
ein Krüppel
Boris
Freilich ich habe einen hohen Preis zahlen müssen
für unser Verhältnis
Dann habe ich Ihnen die Falle gestellt
Ich habe Ihnen gedroht
Sie haben mir gedroht
Wir existieren nurmehr noch in Drohungen
Mit jeder Drohung von meiner Seite ist unser Verhältnis
mit jeder Drohung von Ihrer Seite
geben Sie ihn mir her
geben Sie ihn her
setzt einen schwarzen Hut auf
Herrlich
Schwarze Handschuhe
Johanna gibt der Guten schwarze Handschuhe
Es erinnert mich an das Begräbnis
zieht die schwarzen Handschuhe wieder aus, wirft sie weg,
nimmt den schwarzen Hut herunter und wirft ihn weg
Nicht schwarz
Schwarz nicht

Johanna hebt Hut und Handschuhe auf
Es vergiftet mich
Sie wären immer der ganz gewöhnliche Mensch geblieben
der Sie gewesen sind
Wenn ich denke was Ihre Lebensumstände aus Ihnen gemacht hätten
Sie müssen zugeben
daß Sie es nicht geliebt hätten
Ihr Leben
Sie hätten Ihr gewöhnliches Leben nicht geliebt
Sie sind intelligenter als Sie mir zeigen wollen
Sie zeigen mir nur Ihre oberflächliche Intelligenz
Sie zeigen mir die Intelligenz die ich feststelle
wenn Sie mir ein Glas Wasser holen
den Hut aufheben
wenn Sie mir meine Beinstummel waschen
wenn Sie mich anziehen
ausziehen
kämmen
Mit was für einer hohen Intelligenz Sie mich kämmen
kein Mensch hat mich jemals mit einer so hohen Intelligenz gekämmt
Sie haben diese Art Intelligenz
die mich immer schon interessiert hat
Ach diese Handschuhe
geben Sie her
zieht noch einmal die schwarzen Handschuhe an, setzt noch einmal den schwarzen Hut auf
Es ist wahr Sie wären aus Ihrer Gewöhnlichkeit
nicht mehr herausgekommen
Sie haben keinen Blick
für das menschliche Elend
für das Menschenelend
Es ist ein Unterschied zwischen dem einen
und dem andern Haß
Erinnern Sie sich noch
wie ich Sie jeden Tag tagtäglich
um ein Paar Strümpfe geschickt habe
und jedesmal in ein andres Geschäft
Sie wissen ja auch nichts vom Lord Byron
Ich hab Sie jeden Tag um ein Paar Strümpfe geschickt

obwohl ich keine Beine mehr habe
und obwohl Sie genau gewußt haben daß ich keine Beine
mehr habe
Sind Sie weggelaufen um die Strümpfe
jeden Tag und jeden Tag
in ein anderes Geschäft
erinnern Sie sich an den Schuhmacher
von dem ich mir ein Paar Schuhe habe anmessen lassen
und der sie mir angemessen hat
obwohl er gewußt hat
daß ich keine Beine und folglich keine Füße mehr habe
er hat mir die Schuhe angemessen
erinnern Sie sich
zieht die schwarzen Handschuhe aus, nimmt den schwarzen Hut vom Kopf und läßt alles fallen
Dieser Mann
dieser unglaublich geschickte Mann
diese schönen Schuhe
die ich Ihnen oft und oft
immer und immer wieder
geliehen habe
Ihre Intelligenz beruht darauf
daß Sie sehr viel bei mir gesehen haben
Es gibt hochintelligente Menschen die s e h e n n i c h t s
s e h e n und das macht sie unglücklich
geben Sie mir die roten die roten
zieht rote Handschuhe an, setzt einen roten Hut auf
Sie tun mir weh
lacht
Die Masse sieht nichts
die Masse ist auch nicht unglücklich
die Masse ist glücklich
In diesem Augenblick habe ich Sie immer gefragt
wie spät es ist
mit weit ausgestreckten Armen
Jeden Tag in diesen drei Jahren
habe ich Sie immer um Punkt drei gefragt
wie spät es ist
und Sie haben mir immer geantwortet
Drei Uhr
Wenn Sie mir einmal nicht geantwortet hätten

wenn Sie mir nur ein einzigesmal nicht geantwortet hätten
Es ist ein Spiel
zieht die Handschuhe aus, wirft den Hut weg, Johanna hebt alles auf
Es ist die Finsternis
Und das Nachdenken
Und das Nichtstun
Weil Sie mich ununterbrochen allein lassen
wenn ich rede
Sie stehen die ganze Zeit da und bewegen sich nur
wenn ich Ihnen befehle bewegen Sie sich
Ich bin überzeugt daß die Bewegungslosigkeit
diese Todeskrankheit
in der Natur
jede Krankheit ist eine Krankheit
der Bewegungslosigkeit
Sie bewegen sich nicht
Sie sehen
Sie denken nach
Sie sehen daß ich tot umfalle
Sie sehen mich tot in meinem Sessel tot
Es ist immer das gleiche Sie sehen mich tot
tot
Sie warten darauf
daß ich tot bin
Eine Tote
Sie sehen es immer
hält ein Paar gelbe Handschuhe in die Luft, lachend
Es sind die Verrücktheiten
sonst nichts
Wie weit bin ich gereist
wohin sind sie alle gereist
wir sind immer alle gereist gereist gereist
wirft die Handschuhe weg, Johanna hebt sie auf
Haben Sie nie das Bedürfnis zu reisen
weit weg einfach wegzureisen
wir sind überall hingereist
probiert einen grünen Handschuh
Aber wenn Sie nach England reisen
und verstehen die englische Sprache nicht
oder nach Rußland und verstehen kein Russisch

Es ist gut
daß ich Schluß gemacht habe
Schluß gemacht
ganz leise
Schluß gemacht
den grünen Handschuh bewundernd
Es war ja nicht so daß ich von dem Unglück überrascht
worden bin
so war es nicht
zieht den grünen Handschuh wieder aus
Tot sein
in einen Lichtschacht stürzen
tot sein wie mein Mann
In Wahrheit habe ich schon seit Wochen nicht mehr von ihm
geträumt
Jahre nicht mehr
Wenn Sie Ihre Schuhe putzen
denken Sie da nicht an mich
wenn Sie Ihre Beine übereinanderschlagen
Sie fühlen sich wohl in dem Gedanken
der kein Gedanke ist
Sie denken Ich werde hinaufgehen
oder hinuntergehen
hinausgehen
weggehen
weil ich Beine habe denken Sie
S i e haben Beine
Wenn Sie hin und her laufen im Haus
Sie laufen in letzter Zeit so viel hin und her
Sie laufen den ganzen Vormittag hin und her
den ganzen Nachmittag
wenn Sie zu Ihrem Freund gehen
denken Sie da nicht an mich
eine Person ist eine Person
die in eine andere Person verhaßt ist
Wann ist das Fest
Johanna wann ist das Fest
Wann kommen die denn
Wann

JOHANNA
Dienstag

DIE GUTE

Dienstag
Dienstag Boris' Geburtstag
Und wann ist der Ball

JOHANNA

Morgen

DIE GUTE

Dienstag das Fest
Morgen der Ball
Dienstag das Fest
Diese Zustände im Asyl
Dieser Mensch
In Wahrheit hat mich mein ganzes Leben
immer nur das Verhältnis zwischen zwei Menschen
interessiert
Wie spät ist es
Nein sagen Sie mir nicht wie spät es ist
Johanna zieht der Guten ein Paar rote Handschuhe über, setzt ihr einen roten Hut auf
Fünfundzwanzig nach drei
bewundert die roten Handschuhe
Es ist gut daß Sie da sind
und daß Sie mir zuhören
Wir sind eine Verschwörung
streckt die Arme so weit als möglich aus
Sagen Sie dem Bibliothekar
daß ich keine Atlanten mehr will
ich will wieder lesen sagen Sie
streckt die Arme noch weiter aus
Mich interessieren jetzt die Romane des Zwanzigsten
Jahrhunderts
denken Sie daran sagen Sie dem Bibliothekar
daß mich jetzt die Romane des Zwanzigsten Jahrhunderts
interessieren
Durch die Atlanten bin ich die ganze Nacht
verunstaltet
Ich komme mit großen Koffern
und ohne daß mir jemand hilft
ohne daß Sie mir helfen Johanna
in Portugal an
oder in der Schweiz oder in der Türkei

ganz gleich wo
oder ich sehe mich die ganze Zeit
auf dem Trottoir spazieren
Und mit dem Briefträger laufe ich um die Wette

Vorhang

Zweites Vorspiel

Nach dem Ball. Die Gute im Kostüm einer Königin. Johanna schiebt sie immer schneller um den ganzen Raum herum, immer schneller und schneller, ekstatisch

DIE GUTE

Halt Halt
Stehenbleiben
Johanna bleibt mit ihr stehen
Fahren Sie mich zurück
Fahren Sie mich auf meinen Platz zurück
Johanna schiebt sie quer über die ganze Bühne
Ich bin müde jetzt
bin ich müde
jetzt
Wie spät ist es denn
sagen Sie mir nicht wie spät es ist
Ich halte so viel Leute nicht aus
Ich kann so viel Leute nicht mehr aushalten
Wieviel waren es denn
Diese Bälle sind immer dasselbe
Immer dieselben Leute
immer die gleiche schlechte Luft
immer mehr Menschen
Wieviel waren es denn
Keine Königin
Außer mir keine Königin
Die meisten sind lächerlich
phantasielos
Ich habe Angst gehabt daß es mir weh tut

wenn Sie mir das Kostüm ausziehen
es hat mir weh getan
Wie Sie es mir angezogen haben
Ich habe das Ausziehen gefürchtet
Ich fürchte das Ausziehen
Ein fürchterliches Kostüm
Die Musik hat falsch gespielt
kein Mensch kann tanzen
Das Ganze ist
Die Leute glauben es genügt
in einem Kostüm zu stecken
wie haben diese Kostümbälle sich verändert
Das Kostüm hat mir die ganze Zeit
fürchterliche Schmerzen verursacht
Aber ich will heute nicht mehr ins Bett
Dienstag ist das Fest für Boris
Dienstag
Haben Sie den Präsidenten des Verfassungsgerichtshofs erkannt
den Präsidenten des Verwaltungsgerichtshofs
die Frau des Präsidenten des Verwaltungsgerichtshofs
die Frau des Präsidenten des Verfassungsgerichtshofs
Die Politiker
Die Ärzte
Rechtsanwälte
Die Klerikalen
Den Innenminister
Der Mann der gestürzt ist
war der Außenminister

JOHANNA

Der Außenminister

DIE GUTE

Der Herr Ministerpräsident
und die Frau Ministerpräsident
die Frau Arzt
die Frau Außenminister
die Frau Innenminister
Wie sie sich hineingedrängt haben
zum Essen
Wie die Leute essen
Jetzt wissen Sie wie
die Leute essen

wie sie sind
Daß Sie mich nicht mehr allein lassen
Sie waren auf einmal weg
Sie haben getanzt
geben Sie zu daß Sie getanzt haben
Sie dürfen mich nie mehr allein lassen
Sie dürfen sich nicht bereden lassen
Sie haben da zu bleiben
an meiner Seite
zu bleiben
Wie spät ist es denn
Wer ich sei haben sie gefragt
und ich habe gesagt Die Königin
richtet sich die Krone
Ich habe die ganze Zeit Schmerzlosigkeit gezeigt
die ganze Zeit Schmerzlosigkeit
unter dieser Krone
unter dieser schweren Krone
während des ganzen Balls habe ich sie
nicht ein einzigesmal heruntergenommen

JOHANNA
Niemand hat Sie erkannt

DIE GUTE
Niemand kein Mensch
sie haben mich nicht erkannt
mich
die Königin
richtet sich die Krone
Ich will sie auflassen
Dieser Kopf Johanna
Eine Darstellung
unter lauter Darstellungen
Dieses Kostüm ist mir viel zu schwer
Sie haben mir das Kostüm eingeredet
Sie haben mich auf die Idee gebracht
Ich habe nicht auf das Kostümfest gehen wollen
Sie haben mich gezwungen
Fahren Sie mich ein Stück
fahren Sie schnell
Johanna schiebt sie ein Stück
Schnell

schnell
Stehenbleiben
Bleiben Sie stehen
Machen Sie die Vorhänge auf
Auf auf
Johanna macht die Vorhänge auf, die Gute bemerkt, daß
Johanna keine Maske mehr auf dem Gesicht hat
Fahren Sie mich
auf meinen Platz zurück
Johanna schiebt sie zurück
Wo haben Sie denn Ihre Maske
Warum haben Sie denn Ihre Maske nicht mehr auf dem Gesicht
Setzen Sie sie sofort wieder auf
Ich befehle es Ihnen
setzen Sie sofort Ihre Maske auf
Ich habe gar nicht bemerkt daß Sie Ihre Maske
heruntergenommen haben
Wann haben Sie sie denn heruntergenommen
Wie lange haben Sie sie denn schon nicht mehr auf
Sie haben sich die leichteste ausgesucht
Und ich habe diese schwere Krone auf
diese schwere Krone
Ich habe dieses Kostüm an
Ich habe es noch immer an
Sie haben Ihre Maske heruntergenommen
Johanna ab
Die Gute ruft ihr nach
Sie haben sich die leichteste aufgesetzt
die allerleichteste
Johanna kommt zurück, sie hat jetzt einen Schweinskopf auf
Sie haben sie hinter meinem Rücken heruntergenommen
Ich habe Ihnen doch gesagt
daß Sie mich um Erlaubnis bitten müssen
wenn Sie sie herunternehmen wollen
Sie tragen Ihre Maske solange ich mein Kostüm trage
Fahren Sie mich ein Stück
fahren Sie mich ein kurzes Stück
Johanna schiebt sie ein Stück
Sie haben sich Ihre Maske selbst ausgesucht
Die Wahrheit ist daß Sie sich Ihre Maske
selbst ausgesucht haben

während ich von Ihnen gezwungen worden bin
dieses Kostüm
diese Krone
mir diese schwere Kette
um meinen Hals zu hängen
Geweint vor Schmerzen geweint Johanna
lacht
geweint vor Schmerzen
diese Krone
diese Kette
diese Schmerzen
Aber ich habe alles so haben wollen
so eng
so schwer
richtet sich die Krone
Es ist lächerlich
Ich habe geweint
Auf einmal Die Weinende
spielen müssen
Die Weinende die unter ihrer Krone weint
Die ganze Zeit denke ich
soll ich es ausziehen
oder nicht
und ich denke
soll ich sie herunternehmen
oder nicht
Diese Schwäche
ich bin handlungsunfähig
handlungsunfähig
während ich von diesen Gedanken gequält bin
nehmen Sie hinter meinem Rücken heimlich
Ihre Maske herunter
Sie haben mir doch geschworen
daß Sie Ihre Maske so lange auflassen
bis ich Ihnen gestatte
sie herunterzunehmen
Sie haben mich ausgenützt
Ich habe Sie unbeobachtet gelassen
und Sie haben mich ausgenützt
Unbeobachtet
eine ganze Stunde unbeobachtet

ausgenützt
so geschickt daß ich es nicht bemerkt habe
Ihre Maske heruntergenommen
Warum habe ich das nicht bemerkt
Dieser Erschöpfungszustand
Wie
Ihre Maske hinauszubringen
Sie haben sie doch gerade hereingeholt
Johanna schiebt sie ein Stück
Die Leute versuchen es immer wieder
Kostümbälle
Feste Bälle
sind das traurigste
Ich bin hingegangen
diese Bälle ermöglichen es mir
diese Leute zu sehen
alle auf einmal
Eine Königin ohne Beine
einen besonderen Vorteil vorzutäuschen
Glauben Sie daß mich jemand erkannt hat
Der Herr Innenminister
Der Außenminister
Der Kaplan hat mich erkannt
Der Polizeipräsident
Aber ich habe ein paarmal laut gelacht
das müssen Sie zugeben
daß ich laut gelacht habe
eine Königin die keine Beine hat gespielt
ein erbarmungswürdiger Mensch
verfällt auf eine erbarmungswürdige Idee
und verhilft andern erbarmungswürdigen Menschen
Nein
Aber wenn ich in dem Zustand plötzlicher Rücksichtslosigkeit
mich selber gespielt hätte
wenn ich mich so gespielt hätte
wie ich mich zuhause tagtäglich spiele
und Sie hätten mitspielen müssen
ich hätte Sie gezwungen mitzuspielen
Wenn wir beide unsere Glieder
mit der ganzen Niederträchtigkeit unserer Köpfe
und unserer Körper

den Mut gehabt hätten mich zu spielen
und ich Sie gezwungen hätte mitzuspielen
Die ganze Zeit bin ich unbemerkt
in Beobachtung von uns beiden
unbemerkt Johanna
Immer haben Sie weg wollen
zu den Männern
Aber ich habe Sie nicht in den Ballsaal hineingelassen
Meine Qual ist eine viel größere Qual
Meine Krone
Ihr Schweinskopf
Sie haben gehört daß der Ball
einem guten Zweck gedient hat
wie alle Bälle
Erinnern Sie sich an den Affen
an den Affen
mit dem ich gesprochen habe
diese plötzliche Unterhaltung mit dem Affen
Der Affe hat mich erkannt
der einzige der mich sofort erkannt hat der Affe
der Kaplan
der Affe ist unser Kaplan
Ich habe ihm eine hohe Summe versprochen
für einen guten Zweck Johanna
Opfer
Opfer
habe ich gesagt
und er
Opfer
und ich
Diese große Not und
Woher kommt es daß die Not so groß ist
Und er diese Not
alles geflüstert Johanna
für einen guten Zweck
geflüstert
Der Affe und ich
Kaplan habe ich geflüstert Diese Not
und er Diese Not
Die Königin hat mit einem Affen über die Not geflüstert
über den guten Zweck geflüstert

Wenn eine Königin mit einem Affen flüstert
dann kostet das eine hohe Summe
Fahren Sie mich ein Stück
Johanna schiebt sie ein Stück
Wir sind unter die Affen gegangen
Die Königin ist in Begleitung eines Schweins
unter die Affen gegangen
Ich bin müde
Fahren Sie mich auf meinen Platz zurück
Johanna schiebt sie zurück zum Fenster
Machen Sie die Vorhänge auf
Johanna zieht an den längst offenen Vorhängen
Schläft mein Mann
ob mein Mann schläft
schläft Boris

JOHANNA

Ja

DIE GUTE

Wir waren auf dem Ball
er hat geschlafen
Dienstag bekommt er sein Fest
Wecken Sie ihn auf
Johanna ab
Er schläft
ununterbrochen schläft er
ich kann nicht schlafen
ruft hinaus
Er darf nicht herein
Noch nicht
Waschen Sie ihn
Kämmen Sie ihn
zu sich, erschöpft
Ich will nicht
nein
nicht
Dieses unaufhörliche
Essen und Schlafen
laut
Johanna
waschen Sie ihm den Hals
Gesicht und Hals

Ziehen Sie ihm den Schlafrock an
Ich will nicht daß Sie ihn von oben bis unten waschen
es genügt wenn Sie ihn nur mit einem nassen Tuch abwischen
Keine Prozedur
Kommen Sie
Haben Sie ihm das Gesicht abgewischt
Kommen Sie her
zu sich
Ich kann nicht allein sein
Ich kann nicht mehr allein sein
Diese Peinigungen
diese entsetzlichen Peinigungen
ruft
Johanna Johanna
wieder leise
Weil ich jahrelang nicht mehr allein sein kann
Johanna kommt herein
Sie nützen diese Situation aus
Sie nützen das aus
wenn Sie ihn waschen
Fahren Sie mich ein Stück
Johanna schiebt sie ein Stück
Was reden mit ihm
abgesehen davon
daß er keinen Verstand hat
hat er diesen üblen Geruch
Aber ich habe ihn
Ich habe ihn mir ja ausgesucht
zu Johanna
Wir sind ins Asyl und haben ihn uns ausgesucht
Und ich habe ihn geheiratet
ihn
ihn
Sagen Sie daß wir ihn uns ausgesucht haben
Sie haben mich gezwungen
Er fühlt nichts
er ist nichts und er fühlt nichts
Er weiß nichts
Mein Geschöpf
Warum halte ich diese Geschöpfe aus
Sie waren es die mich auf die Idee gebracht hat

Ich höre noch den Kaplan
Nehmen Sie hat er gesagt
den Erbärmlichsten
Häßlichsten
Unser Geschöpf ist mein Mann Johanna
Sie haben ihn mir herausgetragen aus dem Asyl
heruntergetragen
durch den Park in den Wagen
Wie Sie ihn getragen haben
ihn eingewickelt haben in Tücher
frisiert und in den Wagen gesetzt
Diese vielen Geschöpfe
Als ob er Ihr Geschöpf wäre
Er gehört mir allein
Boris gehört mir allein
Johanna ab
Die Gute ihr nach
Hat er sich gewehrt beim Waschen
Ich höre nichts
sonst will er
wenn Sie ihn gewaschen haben heraus
Johanna
zu sich
daß ich nichts höre
laut
Sie haben ihm doch nicht schon in aller Frühe
einen Apfel gegeben
das ist unverschämt
Sie dürfen ihm keinen Apfel geben
während des Vorlesens keinen Apfel
das stört
Geben Sie ihm etwas Geräuschloses zum Essen
etwas völlig Geräuschloses
Fahren Sie mich
fahren Sie mich ein Stück
Johanna kommt herein und schiebt sie ein Stück
Wenn Sie mich jetzt ausziehen
ist alles noch schlimmer
wenn ich jetzt nachgebe
sinkt einen Augenblick unter der Krone zusammen
Wenn ich diesen Augenblick überwinde

plötzlich hoch aufgerichtet
Ist er erschrocken
unter Gelächter
Er ist nicht erschrocken
Er hat Ihren Schweinskopf gesehen
und ist nicht erschrocken
Mich friert

BORIS *hinter der Bühne weinerlich*
Johanna Johanna

DIE GUTE *leise zu Johanna*
Sie dürfen ihn nicht eher herausholen
als bis ich Ihnen die Erlaubnis dazu gebe
Warten Sie
Hören Sie

BORIS
Johanna
Johannaaaaaaa

DIE GUTE
Haben Sie ihm gesagt daß wir auf dem Ball gewesen sind
Er hat Sie nicht gefragt
Er hat nichts gesagt
Er ist nicht erschrocken
Dieser Schweinskopf
Wenn Sie ihn herunternehmen

BORIS
Johannaaaaaaa
Johanna will ihn holen

DIE GUTE
Unterstehen Sie sich
Bleiben Sie da
still
Er bekommt Angst

BORIS
Johannaaaaaaaaaaaaaa

DIE GUTE
Er will daß Sie ihn
herausbringen
Er will beim Fenster sitzen
und hinausschauen
zum Asyl hinüber
Er will das Asyl sehen

Er will auf seinen Fensterplatz
Hören Sie
ist es noch finster in seinem Zimmer

JOHANNA
Sie haben mir ja verboten
die Jalousien aufzumachen
Er fürchtet sich

DIE GUTE
Er fürchtet sich
er fürchtet sich

BORIS *als ob er weinte*
Johannaaaaaaaaaaaaaa

DIE GUTE
Er ruft nach Ihnen
nicht nach mir
nach Ihnen
Ihnen ruft er
Mir hat er noch nie gerufen
Nicht ein einzigesmal
nicht einmal

BORIS
Johannaaaaaaaaaaaaaa

DIE GUTE
Holen Sie ihn heraus
Bringen Sie ihn
schieben Sie ihn zum Fenster
Johanna ab
Die Gute lacht
Ich habe den ganzen Park abholzen lassen
damit er das Asyl sieht
aus dem ich ihn herausgeholt habe
Johanna schiebt Boris herein, zum Fenster, durch das er, bis der Vorhang gefallen ist, hinausschaut
Die Gute zu Boris
Siehst du das Asyl
Boris nickt
Du hast dich gefürchtet
Gib zu daß du dich gefürchtet hast
Du hast dich gefürchtet
Johanna sagen Sie ihm daß wir heute nacht
während er fest geschlafen hat

auf dem Wohltätigkeitsball gewesen sind
sagen Sie ihm daß ich in der Maske einer Königin
auf dem Ball gewesen bin
Sie als Schwein
Sagen Sie es ihm

JOHANNA
Aber er hat es doch jetzt gehört
was Sie gesagt haben

DIE GUTE
Ich habe gesagt
daß Sie es ihm sagen sollen
Ich befehle Ihnen es ihm zu sagen

JOHANNA *zu Boris*
Die gnädige Frau sagt
daß wir heute nacht

DIE GUTE
Während er fest geschlafen hat

JOHANNA
Während Sie fest geschlafen haben
auf dem Kostümball gewesen sind
und daß die gnädige Frau

DIE GUTE
Im Kostüm einer Königin

JOHANNA
Im Kostüm einer Königin

DIE GUTE
Und daß Sie

JOHANNA
Und daß ich

DIE GUTE
Als Schwein

JOHANNA
Und daß ich als Schwein

DIE GUTE
Wie Ihre Maske beweist

JOHANNA
Wie es meine Maske beweist

DIE GUTE
Daß Sie als Schwein

JOHANNA
Daß ich als Schwein

DIE GUTE
Auf dem Ball gewesen sind
JOHANNA
Auf dem Ball gewesen bin
DIE GUTE
Auf dem Wohltätigkeitsball
JOHANNA
Auf dem Wohltätigkeitsball
DIE GUTE
Für wohltätige Zwecke sagen Sie ihm
und daß ich auf dem Ball
an ihn gedacht habe
Los sagen Sie es ihm
JOHANNA
Die gnädige Frau hat auf dem Ball
an Sie gedacht
DIE GUTE
Ein einzigesmal
und dieses einzige Mal mit Entsetzen
JOHANNA
Ein einzigesmal
und dieses einzige Mal mit Entsetzen
DIE GUTE *zu Boris*
Siehst du das Asyl
Willst du wieder in das Asyl
Boris verneint
Die Gute zu Johanna
Lassen Sie uns allein
Machen Sie sein Bett
Waschen Sie seine Mützen
Johanna ab
Diese Kostümbälle sind nützlich
Diese Krone die ich trage ist schwer
Dienstag kommen deine Freunde aus dem Asyl herüber
Siehst du das Asyl
Boris nickt
Dein Geburtstag
das Fest für dich
Was sagst du zu meinem Kostüm
diese Krone
Was mich diese Krone gekostet hat

Diese Krone
gefällt dir diese Krone nicht
es ist das teuerste Kostüm das ich jemals
auf dem Wohltätigkeitsball angehabt habe
Siehst du das Asyl
Boris nickt
Johanna kommt mit einem Tablett voll Essen herein und stellt es Boris auf den Schoß, der fängt sofort zu essen an und hört nicht mehr auf
Essen
zu Boris
Jetzt erzählst du mir
was du gelesen hast
ich habe dir doch befohlen das siebte Kapitel zu lesen
Was steht im siebten Kapitel
schieben Sie mich zu ihm hin Johanna
Johanna schiebt sie zu ihm hin
Die Gute ihre Krone haltend
Was steht im siebten Kapitel
Johanna machen Sie die Vorhänge auf
machen Sie sie auf
ganz auf
Johanna zieht an den offenen Vorhängen
Die Gute zu Boris
Ich will dich nicht quälen
Ich sehe ich quäle dich
aber ich sehe auch daß du das siebte Kapitel
nicht gelesen hast
du hast es bestimmt nicht gelesen
Siehst du denn das Asyl nicht
zu Johanna
Sie sollten ihm einen Scheitel machen
Fahren Sie mich auf meinen Platz zurück
Johanna schiebt sie vom Fenster weg
Warum hat er keinen Scheitel
Ich habe Ihnen doch befohlen ihm einen Scheitel zu machen
Warum hat er keinen Scheitel

BORIS
Ich will keinen Scheitel

DIE GUTE *zu Boris*
Ich will daß du einen Scheitel hast

zu Johanna
Machen Sie ihm einen Mittelscheitel

BORIS
Ich will keinen Scheitel

DIE GUTE
Einen Mittelscheitel
Boris holt demonstrativ aus seiner Tasche einen Apfel heraus und beißt hinein
Die Gute entsetzt
Er hat einen Apfel einen Apfel
Johanna nimmt ihm den Apfel weg und steckt ihn ein
Achten Sie darauf
daß er an keinen Apfel herankommt
Ich kann es nicht hören wenn er in einen Apfel hineinbeißt
zu Boris
Schmeckt dir dein Essen Boris
Boris nickt
Machen Sie die Fenster auf Johanna
ich ersticke
Johanna macht alle Fenster auf, dann ab
Die Gute zu Boris
Mit wieviel Jahren hast du zum erstenmal gestohlen
mit drei oder mit vier

BORIS
Mit drei

DIE GUTE
Das ist ein großer Unterschied
ob man mit drei oder mit vier Jahren zum erstenmal stiehlt
stiehlt
sprich mir nach
Du sollst mir nachsprechen
Es ist ein großer Unterschied

BORIS
Es ist ein großer Unterschied

DIE GUTE
Wer in deiner Familie hat noch gestohlen
Ach ja
Der Ball hat mich völlig erschöpft
Diese schwere Krone
Daß ich dich aus dem Asyl herausgeholt habe
lacht

Boris
warst du der einzige in deiner Familie der gestohlen hat
du mußt nachdenken
auch wenn es dir schwerfällt
ich muß es wissen
also warst du der einzige
Warst du der einzige
Boris schüttelt den Kopf
Alle haben gestohlen
Alle stehlen
Sie haben es dir nicht gesagt
Ist es wahr im Asyl
nennen sie mich Die Gute
Ist es wahr
stimmt es daß es wahr ist
Boris nickt
Alle
Boris nickt
Nicht nur du hast gestohlen
alle alle stehlen
Johanna kommt mit einem Buch herein, gibt es der Guten
Die Gute blättert in dem Buch, zu Boris
Erste Prüfung heute
Ich weiß wie weit du gestern gelesen hast
ich kann es riechen Boris
Da ist es
bis zu dieser Stelle bist du gekommen
Du hast behauptet auch das siebte Kapitel gelesen zu haben
Du bist nicht einmal bis zum sechsten gekommen
sag mir was auf der letzten Seite des sechsten Kapitels steht
Du weißt es nicht
Wie kannst du mich
Boris
Dieser bedeutende Schluß
Ich will dir sagen was am Ende des siebten Kapitels steht
Er hat sich umgebracht
Zuerst hat er sie umgebracht
dann hat er sich selbst umgebracht
Wenn du lügst ekelt es mich vor dir
Ich weiß warum ich jedesmal eine Nacherzählung von dir
verlange

gibt Johanna das Buch
Morgen kommt um neun Uhr der Schneider
er wird dir eine neue Hose anmessen
und einen neuen Rock
Du mußt einen weißen Rock haben
der zu meinen weißen Handschuhen paßt am Dienstag
eine weiße Hose zu meinem weißen Hut
Daß wir beide zu deinen Freunden aus dem Asyl passen
sie schaut Johanna ins Gesicht
Sie mag dich
Du magst nur sie
Der Schneider mißt dir eine weiße Hose an
einen weißen Rock mit spitzen Knöpfen
die Knöpfe sind schwarz und spitz
zu Boris
Siehst du das Asyl
Möchtest du wieder in das Asyl
Boris schüttelt den Kopf
Die Gute zu Johanna
schreiend
Nehmen Sie Ihre Maske herunter
Nehmen Sie Ihre Maske herunter
Johanna nimmt ihre Maske herunter

Vorhang

Das Fest

Links ein Geschenktisch, darauf deutlich sichtbar: eine Pauke mit Schläger, eine Papierschlange, eine Klarinette, eine Ratsche, eine Flasche Met, ein Hut, ein Buch, ein ausgestopfter Rabe, eine Springschnur, ein Fernglas, eine große Schüssel Äpfel, ein Paar schwarze Offiziersstiefel, zwei lange Unterhosen, eine rote Krawatte. In der Mitte ein langer Tisch, an dem die Gute, Johanna, jetzt auch beinlos, und dreizehn beinlose Krüppel in Rollstühlen sitzen; wenn der Vorhang aufgeht, Boris' Geburtstag feiernd, essend, trinkend, rauchend, lachend. Ein dicker und ein dünner Diener dienend und schweigend, ein dicker und ein dünner Pfleger, aufpassend und schweigend

JUNGER KRÜPPEL
Weiter Weiter

ALTER KRÜPPEL
Schwein

ZWEI KRÜPPEL
Weiter Weiter

DER ÄLTESTE KRÜPPEL *erzählend*
Jetzt kommt die Düsternis
fast singend
Jetzt kommt die Finsternis
die Finsternis

DREI KRÜPPEL
Die Düsternis
Die Finsternis

JUNGER KRÜPPEL
Laß ihn Laß ihn

ALTER KRÜPPEL
Die Finsternis

VIER KRÜPPEL
Die Finsternis

DER ÄLTESTE KRÜPPEL
Große sehr große Köpfe
in der Finsternis
Ihr müßt euch vorstellen
sehr große Köpfe
in der Finsternis
aufeinmal waren die größten Köpfe da
Sechs Krüppel lachen
Warum lacht ihr
Es ist nicht zum Lachen
es ist nichts zum Lachen
Sechs Krüppel lachen
Nichts
Lachen
Es ist nichts zum Lachen
laut
Es ist keine Komödie
Boris lacht
Wer lacht da

Wer hat jetzt gelacht

DREI KRÜPPEL

Boris hat gelacht
Boris

DIE GUTE *zu Boris*

Warum hast du gelacht
Es ist nichts zum Lachen
hast du gehört
es ist nichts zum Lachen
hast du gehört
nichts

DER ÄLTESTE KRÜPPEL

Nichts Nichts

DIE GUTE

Es ist nicht zum Lachen

JUNGER KRÜPPEL

Weiter Weiter

ALLE *durcheinander*

Weiter

DER ÄLTESTE KRÜPPEL

Etwas Düsteres
es ist düster
es ist finster
Die großen Köpfe haben keine Ohren gehabt
die großen Köpfe haben keine Augen gehabt
die großen Köpfe haben keine Nasen gehabt
die großen Köpfe haben keine Füße gehabt
Alle lachen

ALLE *durcheinander*

Keine Augen
keine Ohren
keine Nasen
keine Füße

DER ÄLTESTE KRÜPPEL

Keine Augen
sie haben nichts gesehen
keine Ohren
sie haben nichts gehört
keine Nasen nichts
keinen Verstand
nichts

Und keine Haare
Alle lachen

ZWEI KRÜPPEL
Keine Haare

ZWEI ANDERE KRÜPPEL
Also Glatzköpfe

ALTER KRÜPPEL
Glatzköpfe
Junger Krüppel lacht
Alle lachen

DER ÄLTESTE KRÜPPEL
Aber ein großes Maul haben sie gehabt
die größten Köpfe haben das größte Maul gehabt
Zwei Krüppel lachen
Alle lachen

DER JÜNGSTE KRÜPPEL
Wo war es

DER ÄLTESTE KRÜPPEL
In der Düsternis
In der Finsternis

DIE GUTE
Eßt eßt doch eßt
eßt
ihr müßt alles aufessen
aufessen alles aufessen alles austrinken
eßt essen eßt

KRÜPPEL
In der Finsternis

KRÜPPEL *zu ihm*
Halts Maul

KRÜPPEL
Mir hat geträumt

KRÜPPEL *zu ihm*
Halts Maul

KRÜPPEL
Ich muß alles aufessen
hat mir geträumt

KRÜPPEL *zu ihm*
Halts Maul

KRÜPPEL
Mir hat auch geträumt

ALTER KRÜPPEL
Schwein
Alle lachen
DER ÄLTESTE KRÜPPEL
Drecksau
DIE GUTE *zu Johanna*
Es tut weh
alles tut weh und schmerzt alles
Sie aber spielen das alles nur
Sie spielen ja heute nur
daß Sie keine Beine mehr haben
während ich keine Beine habe
spielen Sie nur
daß Sie keine Beine haben
wenn Sie in Wirklichkeit keine Beine mehr hätten
ich habe Sie angurten lassen
festbinden
angurten und festbinden
damit Sie dazupassen
damit Sie zu uns allen dazupassen
jetzt haben wir alle keine Beine
alle
verstehen Sie
auch Sie haben keine Beine mehr
verstehen Sie
nein
Sie verstehen nicht
Sie verstehen nichts
Sie verstehen alles
und verstehen nichts
heute müssen Sie dazupassen
spielen
daß Sie keine Beine haben
niemand darf auffallen
alle müssen gleich sein
alle gleich
alles gleich
Jetzt haben Sie Beine
und haben doch keine Beine
haben keine Beine
und haben doch Beine

und verstehen nichts
und es tut Ihnen weh
daß Sie keine Beine haben und doch Beine haben
es schmerzt Sie mehr als es mich schmerzt
mehr
Sie empfinden mehr Schmerz
den größten Schmerz
den infamen Schmerz
infam
Ich habe Sie gezwungen
daß Sie Ihre Beine verstecken
Vergessen Sie unsere Abmachung nicht
solange das Fest dauert
haben Sie Ihre Beine zu verstecken
ohne Beine zu sein
verstehen Sie
Sie haben Ihre Beine versteckt
Sie sind angegurtet
erschöpft
alles ist infam
Sie sind angegurtet
Sie können nicht davonlaufen
Sie können nicht
He Diener Diener
eßt eßt trinkt trinkt
trinkt alle eßt alle
essen Sie doch Johanna essen Sie
trinken Sie

KRÜPPEL
Gut

KRÜPPEL
Gut

DIE GUTE
Das Essen ist gut
das Trinken ist gut
alles ist gut

ALLE *durcheinander*
Gut
alles ist gut
gut gut gut

DIE GUTE

Eßt trinkt
trinkt eßt

ALTER KRÜPPEL

Die Gute ist eine Dame

JUNGER KRÜPPEL

Die Dame ist gut

DER ÄLTESTE KRÜPPEL

Aber mir hat nicht nur von den großen Köpfen geträumt
von den größten Köpfen
gelaufen bin ich
und neben mir ist einer dahergelaufen neben mir
und hat gesagt immer wieder hat er gesagt
ich soll von ihm was lesen
ein Schriftsteller
was lesen
immer wieder hat er gesagt ich soll was lesen
von ihm was lesen was lesen von ihm
rücksichtslos
lies hat er gesagt
lies hat er ununterbrochen gesagt
lies lies
die ganze Zeit lies lies
Pause
Da hab ich ihn umgebracht

KRÜPPEL

Wie denn

DER ÄLTESTE KRÜPPEL

Erschlagen

ALTER KRÜPPEL

Erschlagen
er hat ihn erschlagen erschlagen

JUNGER KRÜPPEL

Wo war das

DER ÄLTESTE KRÜPPEL

In der Finsternis

DIE GUTE

Eßt eßt
Diener Diener
Johanna schneiden Sie die Kuchen auseinander
schneiden Sie

Diener Diener
einschenken essen

JUNGER KRÜPPEL
Ich hab von einem Hasen geträumt

ALTER KRÜPPEL
Halts Maul

JUNGER KRÜPPEL *zu ihm*
Laß ihn

ALTER KRÜPPEL *zu ihm*
Halts Maul

JUNGER KRÜPPEL
Von seinen Hasen

JUNGER KRÜPPEL
Meine Hasen

ALTER KRÜPPEL
Halts Maul
auf den ältesten Krüppel zeigend

DER ÄLTESTE KRÜPPEL
Und ich hab
in dem Traum wohlgemerkt
so lange Beine gehabt
daß ich in den dritten Stock hineinschauen habe können
der dritte Stock ist der interessanteste
es gibt welche die glauben
der zweite
und es gibt welche die glauben
der erste
und es gibt welche die glauben
ebenerdig ist es am interessantesten
der dritte Stock ist der interessanteste
auch nicht der vierte
auch nicht der fünfte
der dritte
der Intelligenzlerstock
die Interessantesten wohnen im dritten Stock
hausen
die mit Hirn
die mit Phantasie
so lange Beine daß ich in den dritten Stock habe schauen können
so lange Beine daß sie in diesem Zimmer
nicht einmal in diesem großen herrlichen Zimmer

Platz gehabt hätten
Es sei denn ich hätte sie mir von euch allen
zerbrechen lassen

JUNGER KRÜPPEL

Ich hab geträumt ich sehe einen der gräbt
und ich sage was tust du
und er sagt: graben
und ich sage wie lang denn schon
und er sagt: ich grabe
und ich sage warum denn
und er sagt: ich grabe
und wie tief denn
und er sagt: bis ich durch bin
Alle lachen

DIE GUTE

Eßt eßt
Diese riesigen Kuchen

ALLE *durcheinander*

Die besten Kuchenstücke
die besten

DIE GUTE *zieht ein großes Stück an sich*

Das ist ein Stück
ein besonders großes Stück
Was für ein Stück
Was für ein Kuchenstück Johanna
Halt
Für wen ist dieses große Stück
für wen
ich hab überhaupt noch nie ein so großes Stück gesehen
wer von euch hat schon einmal ein so großes Stück Kuchen
gesehen

ALLE *durcheinander*

Ein großes Stück

DIE GUTE

Wir wollen es dem Hungrigsten geben
Wer ist der Hungrigste
Wer hat den größten Hunger
Wer von euch hat den größten Hunger
Ihr eßt zwar schon zwei Stunden lang
aber einer von euch hat noch immer den größten Hunger
großer Hunger großes Kuchenstück

lacht
Nein
nicht der der den größten Hunger hat
soll es haben
der der es verdient
nur der der es verdient
schaut einen nach dem andern an, dann
Keiner
keiner von uns
kein einziger verdient dieses Stück
ich werde es auseinanderschneiden und austeilen
ich mache so viele Stücke aus ihm wie wir sind
Wie viele sind wir denn eigentlich
Alle durcheinander zählend
Halt
ich zähle
zählt
Eins zwei drei vier fünf sechs sieben acht neun zehn
elf zwölf dreizehn vierzehn fünfzehn sechzehn
Mit Johanna und Boris sind wir sechzehn
zu Boris
mit dir Boris sind wir sechzehn
Mit dem Kaplan wären wir siebzehn
aber der Kaplan hat sich den Fuß gebrochen

ALLE *durcheinander*
Den Fuß gebrochen
der Kaplan
den Fuß gebrochen
hat sich

DIE GUTE
Der Kaplan hat sich den Fuß gebrochen
während er mit mir telefoniert hat
Wer einen Fuß hat
kann sich ihn brechen
Wer einen hat
Wer keinen Fuß hat
Wer keinen hat
kann ihn sich nicht brechen
Drei Krüppel lachen

ALTER KRÜPPEL
Das ist ein gutes Essen

DIE GUTE
Den Fuß gebrochen
ALTER KRÜPPEL
Nicht wahr Ludwig Viktor
das ist ein gutes Essen
JUNGER KRÜPPEL *zu seinem Nachbarn*
Iß iß
ZWEI KRÜPPEL
Ist da nicht Fenchel drin
ALLE *durcheinander*
Anis und Fenchel
ALTER KRÜPPEL *auf den jüngsten zeigend*
Er hat heute nacht geträumt
daß er sich seinen Kopf ausgestopft hat
mit Stroh
ALTER KRÜPPEL
Träume sind wichtig
Alle lachen
Mühselig nicht wahr
Karl Ludwig
mühselig
DIE GUTE
Eßt eßt
JUNGER KRÜPPEL
Ich hab einmal mit meinen Füßen
meine Suppe gegessen
im Traum
DER JÜNGSTE KRÜPPEL
Und ich einen langen Brief geschrieben
mit meinen Beinen
die ich nicht habe
ALTER KRÜPPEL
Mit seinen eigenen Füßen
zum jüngsten Krüppel
Oder ist es nicht wahr
daß du heute nacht mit deinen eigenen Füßen
einen langen Brief geschrieben hast
an den Asyldirektor
zur Guten
Einen Beschwerdebrief
zum jüngsten Krüppel

Und was ist in dem Brief gestanden
zur Guten
Er schämt sich
zum jüngsten Krüppel
Du schämst dich
es hier zu sagen
was du in dem Brief an den Asyldirektor geschrieben hast
zur Guten
Einen Beschwerdebrief liebe Dame
Gute Frau
er hat geschrieben
daß ihm das Bett in dem er liegt zu kurz ist
er will ein längeres Bett haben

ALLE *durcheinander*
Ja ja
wir wollen alle längere Betten haben
ein längeres Bett haben

ALTER KRÜPPEL *zur Guten*
Er will ein längeres Bett haben
zum jüngsten Krüppel
Wie lang bist du Ernst August
Sag wie lang du bist

DER JÜNGSTE KRÜPPEL
Einsachtzig

ALTER KRÜPPEL
Einsachtzig m i t Beine
Wie lang bist du o h n e Beine

DER JÜNGSTE KRÜPPEL
Achtzigeins

ALTER KRÜPPEL
Achtzigeins ist er o h n e Beine
Einsachtzig war er m i t Beine
Einsachtzig weniger neunundneunzig
ist achtzigeins
Und wie lang ist dein Bett

DER JÜNGSTE KRÜPPEL
Siebzigeins

ALTER KRÜPPEL *zur Guten*
Das ist eine Tragödie gnädige Frau

KRÜPPEL
Mein Bett ist auch zu kurz

KRÜPPEL
Meins auch
KRÜPPEL
Ich kann mich auch nicht ausstrecken
KRÜPPEL
Ich lieg in einem Bett
das einsvier lang ist
aber ich bin einsacht lang
KRÜPPEL
Ich bin sechzig lang
mein Bett ist achtundfünfzig lang
ALLE *durcheinander*
Wir haben alle zu kurze Betten
Zu lange Körper
für die kurzen Betten
KRÜPPEL
Ich hab noch nie meinen Oberkörper
in meinem Bett ausstrecken können
DIE GUTE
Ich werde veranlassen
daß ihr längere Betten bekommt
jeder muß ein Bett haben in dem er sich ausstrecken kann
das ist doch das mindeste das man verlangen kann
daß man sich in seinem Bett ausstrecken kann
das ist doch zum Lachen daß ihr euch in euren Betten
nicht ausstrecken könnt
Eine Schande
Eine Schande für die Anstalt
eine Schande für das Asyl
eine Schande für den Anstaltsdirektor
eine Schande für diesen Staat
Das ist doch absurd
Alle schauen sich vorwurfsvoll an
Beschweren
Ihr müßt euch beschweren
aufbegehren
auflehnen
protestieren
Boris hat
schaut auf Boris
Boris hat ein langes Bett

in dem er sich ausstrecken kann
das ist doch das mindeste das er von mir verlangen kann
daß ich ihm ein Bett gebe in dem er sich ausstrecken kann
zu Boris
Nicht wahr
du kannst dich in deinem Bett ausstrecken
Boris nickt
Sag deinen Freunden
daß du dich ausstrecken kannst wenn du willst
Er streckt sich nur nie aus
Nie
ich weiß daß er sich nie ausstreckt
aber wenn er sich ausstrecken will
kann er sich ausstrecken
Er hat das Bett meines ersten Mannes
Der war einsneunzig
zu Boris
Sag daß du dich in deinem Bett ausstrecken kannst
wenn du willst
Boris nickt
Er ißt und schläft
sonst nichts
ich kenne keinen Menschen
der so gut schläft
und so viel ißt

KRÜPPEL

Meine Dame sagen Sie selbst das ist doch traurig
wenn man sich in seinem Bett nicht ausstrecken kann

KRÜPPEL

Das ist ein Skandal

KRÜPPEL

Ein Skandal

ALLE *durcheinander*

Ein Skandal

KRÜPPEL

In viel zu kurzen Betten liegen zu müssen

DER ÄLTESTE KRÜPPEL

Liegen zu müssen
zur Guten
und sich nicht ausstrecken können
Sie kennen ja selbst wie es ist

wenn man keine Beine mehr hat
Und wenn man keine Beine mehr hat
und sich in der Nacht nicht ausstrecken kann

KRÜPPEL
Der Asyldirektor spart an uns Holz

KRÜPPEL
Und Nägel

KRÜPPEL
Und Leim

KRÜPPEL
Geld

ZWEI KRÜPPEL
Bettwäsche und Matratzen

KRÜPPEL
Wir liegen in Betten
die uns durchschnittlich um zehn bis zwanzig Zentimeter zu kurz sind

KRÜPPEL
Die zehn bis vierzig Zentimeter kürzer sind
als unsere Körper

KRÜPPEL
Rümpfe

VIER KRÜPPEL
Rümpfe Rümpfe Rümpfe

ALLE *durcheinander*
Ein Skandal

KRÜPPEL
Ich hab immer das Bedürfnis
mich auszustrecken
und kann mich nicht ausstrecken

KRÜPPEL
Wir liegen nicht in Betten
wir liegen in Kisten

DER ÄLTESTE KRÜPPEL *lacht*
Das ist gut: in Kisten

KRÜPPEL
Das ist wahr

KRÜPPEL
Liebe Dame das ist wahr

ALLE
In Kisten in Kisten

KRÜPPEL
Wer das Pech hat
einen zu großen Körper zu haben
und die meisten haben einen zu großen Körper
Mein Freund Ernst August hat einen besonders großen Körper
er hat kurze unansehnliche Beine gehabt
O-Beine im Vertrauen meine liebe Dame
aber einen wie Sie selbst sehen zu großen viel zu großen Körper
genauso ist es mit Karl Ludwig
und mit Ludwig Viktor
und mit Hans Ernst
und mit Ernst Ludwig
und mit Hans Viktor
und mit Karl Ludwig Viktor
DER ÄLTESTE KRÜPPEL
Alle Betten sind gleich groß
KRÜPPEL *verbessernd*
Kisten Kisten
DER ÄLTESTE KRÜPPEL
Alle Kisten sind gleich groß
KRÜPPEL *laut*
Einheitskiste
ZWEI KRÜPPEL
Einheitskiste
ALLE
Wir liegen in Einheitskisten
DER ÄLTESTE KRÜPPEL
Daß ich selber am wenigsten Schmerzen habe beruht darauf
daß ich selbst einen kleinen Körper habe
zur Guten
wie Sie sehen
von Geburt an
Alle lachen
zur Guten
Wie Sie sehen meine Dame
aber ich habe sehr lange Beine gehabt
die längsten Beine in der Familie
Mein Körper ist von einer erschreckenden Kürze
Darunter habe ich immer zu leiden gehabt
als Kind
so lange bis ich auf einmal keine Beine mehr gehabt habe

bis ich ins Asyl gekommen bin
unter meiner Familie habe ich gelitten
unter meinen Eltern und Geschwistern
sie haben alle immer gesagt wenn er nur nicht so lange Beine hätte
wenn er nur nicht einen so erschreckend kurzen Körper hätte
haben sie gesagt liebe Dame
jetzt erleichtert mir mein erschreckend kurzer Oberkörper
mein Leben
alles
Diese kurzen Betten

KRÜPPEL *verbessernd*
Kisten

DER ÄLTESTE KRÜPPEL
Diese kurzen Kisten sind ein Skandal

ALLE *durcheinander*
Ein Skandal

ZWEI KRÜPPEL
Ein Skandal

DER ÄLTESTE KRÜPPEL
Jetzt bin ich in einer viel besseren Lage
ich kann mich ausstrecken
mir ist mein Bett

KRÜPPEL *verbessernd*
Deine Kiste

DER ÄLTESTE KRÜPPEL
Mir ist meine Kiste nicht zu kurz
ich habe den Vorteil eines erschreckend kurzen Körpers
Vor dem Unfall

KRÜPPEL
Erzähl wie es geschehen ist
Er erzählt es so gut

KRÜPPEL
Erzähl

DER ÄLTESTE KRÜPPEL
Ich will nicht

KRÜPPEL
Die Dame will es hören

DER ÄLTESTE KRÜPPEL
Nein

KRÜPPEL
Er erzählt es nur am Freitag

Heute ist Dienstag
Es war im Krieg

DIE GUTE

Im Krieg im Krieg
Aber die andern haben ihre Beine
nach dem Krieg verloren wie ich
nach dem Krieg
Nicht wahr
alle nach dem Krieg
Diener Diener
Wer hat keinen Kaffee mehr

KRÜPPEL

Ich hab keinen Kaffee mehr

DIE GUTE

Johanna
Ludwig August hat keinen Kaffee mehr

KRÜPPEL

Ich nehme ganz einfach diese Schrägstellung ein
zeigt seine Schrägstellung
damit ich in mein Bett

KRÜPPEL *verbessernd*

In deine Kiste

KRÜPPEL

In meine Kiste hineinpasse
Mit dieser Schrägstellung bin ich vollkommen schmerzlos
zeigt noch einmal seine Schrägstellung
Seht her so ist
meine Schrägstellung
Johanna lacht

DIE GUTE

Warum lachen Sie
Warum lachen Sie denn
Pause

KRÜPPEL *heißen Kaffee auf das Tischtuch ausspeiend*

Ist der heiß

ALTER KRÜPPEL

Es gibt viele Methoden
sich das Leben in der Kiste
erträglicher zu machen
Karl Ernst schläft oft im Stehen
Wer das jemals gesehen hat

KRÜPPEL
Im Stehen
ALTER KRÜPPEL
Er hat die beste Methode
Aber es gibt natürlich keine Beste Methode
Ihr könnt eure Körper nicht mehr verkürzen
Wir können auch nicht Selbstmord begehen
wir besprechen das oft
das Wie und Wann
Wann und Wie
DER ÄLTESTE KRÜPPEL
Wir beschäftigen uns immer mit dem Gedanken uns umzubringen
KRÜPPEL
Ich denke immer daran
KRÜPPEL
Immer
KRÜPPEL
Ja
ALTER KRÜPPEL
Aber wir tun es nicht
Wenn so müßten wir es gemeinsam tun
alle zusammen
in einem Augenblick
KRÜPPEL
Im selben Augenblick
mimt Halsabschneiden und Aufhängen
ÄLTESTER KRÜPPEL
Aber wir tun es nicht
Wir denken darüber nach
wir besprechen es
aber wir tun es nicht
DIE GUTE
Ich werde mit dem Asyldirektor sprechen
damit ihr längere Betten bekommt
Zum Geburtstag meines Mannes
spendiere ich euch
längere Betten
ZWEI KRÜPPEL
Kisten Kisten
DIE GUTE
Meine Jahresspende muß in erster Linie

für längere Betten verwendet werden
Abgemacht Johanna
sie bekommen alle längere Betten
Betten in denen sie sich ausstrecken können
zu Boris
hörst du
sie bekommen von mir längere Betten
in denen sie sich ausstrecken können
zu deinem Geburtstag
hörst du
Boris nickt
Also längere Betten
Diener Diener

ZWEI KRÜPPEL

Kisten

DIE GUTE

Betten sind immer Kisten
Diener Diener Die Geschenke
Der Asyldirektor ist ja nicht unzugänglich
Die Diener holen die Geschenke vom Geschenktisch und türmen sie vor Boris auf, vor Staunen murmelnde Krüppel. Sind alle Geschenke vor Boris aufgetürmt, vor ihm die Pauke, nimmt Boris den Paukenschläger und schlägt dreimal auf die Pauke
Die Pauke ist von Ernstludwig
Krüppel nickt
Die Klarinette ist von Ernstaugust
Krüppel nickt
Die Papierschlange ist von Karlernst
Krüppel nickt
Die Ratsche ist von Ernstludwigaugust
Krüppel nickt
Die Flasche Met ist von Karlludwigviktor
Krüppel nickt
Der Hut ist von Karlviktor
Krüppel nickt
Das Buch ist von Karlaugusternst
Krüppel nickt
Der ausgestopfte Rabe ist von Karlviktorernst
Krüppel nickt
Die Springschnur ist von Ernstaugustkarl

Krüppel nickt
Das Fernglas ist von Augustkarlviktor
Krüppel nickt
Die Äpfel sind von Johanna
zu Johanna
Infam
zu Boris
Die Offiziersstiefel die du dir immer gewünscht hast
sind von mir
Die langen Unterhosen sind von mir
Die rote Krawatte ist vom Kaplan
Boris schlägt dreimal auf die Pauke
Natürlich die Pauke
Boris schlägt dreimal auf die Pauke
Die Pauke natürlich
Boris schlägt dreimal auf die Pauke
zu Boris
Schlag nur auf die Pauke
Boris schlägt sechzehnmal auf die Pauke, währenddessen

DER ÄLTESTE KRÜPPEL *zur Guten*
Wir denken fortwährend darüber nach auf welche Weise
der Selbstmord
für uns am erträglichsten ist

KRÜPPEL
Immer mit was
und auf welche Weise

KRÜPPEL
Mit den Leintüchern
mit den Taschenveiteln

KRÜPPEL
Mit den Küchenmessern

KRÜPPEL
Oder aus dem Fenster springen

KRÜPPEL
Wir beschäftigen uns fortwährend mit diesem Gedanken
Wir haben keinen andern Gedanken

KRÜPPEL
Es ist unsre einzige Abwechslung

KRÜPPEL
Wir tun es nicht
aber wir besprechen es

DER JÜNGSTE KRÜPPEL

Mir hat geträumt ich hab es getan
mit der Krawatte

BORIS *trinkt aus der Metflasche*

Mit einer roten Krawatte
und keiner von euch hats bemerkt

DER ÄLTESTE KRÜPPEL

Er träumt nichts anderes

KRÜPPEL

Mir träumt immer
ich bringe euch um
Boris ratscht

KRÜPPEL *zu seinem Nachbarn*

Du ißt zuviel

DIE GUTE

Nehmt nehmt
eßt eßt
Ihr müßt alles aufessen
Boris schlägt sechsmal auf die Pauke
Die Gute zu ihm hinschauend
Die Pauke dann
Wie ich mich auf das Fest freue
Das ganze Jahr freue ich mich auf das Fest
auf Boris' Geburtstag
und auf euch
Diener Diener
Mein Mann erzählt viel von Ihnen
wenn er mir auch das meiste verschweigt
er behauptet daß Sie alle immer wieder
vornehmlich an den Samstagen
ein Lied gesungen haben
das Lied von der Bachstelze
Boris nimmt den ausgestopften Raben und hebt ihn hoch, der Liedtext fällt ihr ein, sie versucht zu singen
Im Finstern im Finstern
sie fliegt schon lang nicht mehr
im Finstern im Finstern
sie fliegt schon lang nicht mehr
plötzlich befehlend
singt es singt das Lied
ich will das Lied hören

Alle schauen sich an
Die Gute singt das Lied
Krüppel fängt zu singen an
Zwei Krüppel singen mit
Sechs Krüppel singen mit
Alle Krüppel singen leise, lauter, dann wieder leise
Im Finstern im Finstern
sie fliegt schon lang nicht mehr
im Finstern im Finstern
sie fliegt schon lang nicht mehr

KRÜPPEL
Halt Halt
nocheinmal von vorn
Boris singt mit und taktiert beinahe unhörbar mit dem Paukenschläger

ALLE
Im Finstern im Finstern
sie fliegt schon lang nicht mehr
im Finstern im Finstern
sie fliegt schon lang nicht mehr
sie saß auf einem Ästchen
sie saß auf einem Ästchen
sie brechen das Lied ab

KRÜPPEL
Mit vollem Magen geht es nicht
Boris schlägt viermal so schnell als möglich auf die Pauke

DER ÄLTESTE KRÜPPEL
Wir sind angefressen
da geht kein Gesang
Boris schlägt viermal so schnell als möglich auf die Pauke

DIE GUTE *summt*
Im Finstern im Finstern
Krüppel summt mit

DER ÄLTESTE KRÜPPEL *zu ihm*
Halts Maul
zur Guten
Er kann nicht singen
er kann überhaupt nicht singen
es gibt einige unter uns
die überhaupt nicht singen können
Wir singen meine Dame

oder wir denken an Selbstmord
Boris schlägt so schnell es geht viermal auf die Pauke

DIE GUTE

Ist es wahr daß in den Asylbetten Ungeziefer ist

DER ÄLTESTE KRÜPPEL

Die Wahrheit liebe Dame
es ist wahr
im Asyl ist Ungeziefer
und in den Asylbetten ist das meiste Ungeziefer
es ist die Wahrheit

DIE GUTE

Ich habe meinem Mann nicht geglaubt
Boris schlägt so schnell als möglich viermal auf die Pauke
Weil er nur die Pauke hat
zu Boris
Nicht wahr ich habe dir
zu den andern
Bei jeder Gelegenheit ißt er
stimmt das daß ihr bestraft werdet
wenn ihr euch beschwert
wenn ihr euch wegen des Ungeziefers beim Asyldirektor beschwert
Alle nicken

DER ÄLTESTE KRÜPPEL

Es stimmt meine Dame
Wir dürfen uns beschweren
aber es nützt nichts

KRÜPPEL

Nichts

DER JÜNGSTE KRÜPPEL

Nichts

DIE GUTE

Mein Mann hat sich nie beschwert
nicht wahr
mein Mann hat sich nie beschwert
er hätte sich lieber auffressen lassen
Boris schlägt viermal so schnell als möglich auf die Pauke
zu Boris
Nicht wahr du hättest dich lieber auffressen lassen
Boris schlägt viermal so schnell als möglich auf die Pauke
Einmal hat er sich aufgelehnt

gegen den Friseur
gegen den Anstaltsfriseur

KRÜPPEL
Das Schwein

ALLE *durcheinander*
Der Friseur ist ein Schwein

KRÜPPEL
Er tut jedem weh
er schneidet jedem ins Gesicht
ins Ohr
in den Hinterkopf
in den Hals
ins Kinn

KRÜPPEL
Wohin er kann
wohin er will

DIE GUTE
Die Friseure sind alle gleich

KRÜPPEL
Wie die Ärzte

KRÜPPEL
Die Ärzte sind Schweine

ALLE *durcheinander*
Die Ärzte sind Schweine
Die Pfleger treten einen Schritt vor

ALLE *durcheinander*
Schweine Scharlatane
Scharlatane Scharlatane
Schweine
die Ärzte sind Schweine und Scharlatane

DER JÜNGSTE KRÜPPEL
Schweine

DIE GUTE
Merkwürdig
das alles
ist merkwürdig

ALLE
Schweine
Scharlatane

DER ÄLTESTE KRÜPPEL
Es gehört schon lange eine neue Asylordnung

ALLE

Eine neue Asylordnung

Boris schlägt sechzehnmal, immer viermal schnell, zweimal langsam und immer lauter auf die Pauke, währenddessen

KRÜPPEL

Allmonatliche gründliche Inspektionen

KRÜPPEL

Von oben

KRÜPPEL

Gründliche Inspektionen

ALLE *durcheinander*

Gründliche Inspektionen
Inspektionen gründliche

DER JÜNGSTE KRÜPPEL

Absetzen absetzen

ALLE *durcheinander immer lauter*

Absetzen absetzen
Die Pfleger treten näher
Absetzen absetzen

DIE GUTE

Ruhe Ruhe
Boris schlägt sechzehnmal, immer viermal schnell, zweimal langsam und immer lauter auf die Pauke, währenddessen
Ruhe Ruhe

ALLE

Absetzen absetzen
ein besseres Essen
frische Bettwäsche
neue Rollstühle
neue Rollstühle
neue Rollstühle

KRÜPPEL

Mehr Schwestern
weniger faule Ärzte

KRÜPPEL

Die Ärzte sind faul

KRÜPPEL

Schweine

ALLE *durcheinander*

Neue Rollstühle
Mehr Bewegungsmöglichkeiten

bessere Medikamente
Bewegung

KRÜPPEL

Ein anderer Friseur muß her
Boris schlägt immer lauter auf die Pauke

ALLE *durcheinander*

Ein neuer Chirurg
ein neuer Chirurg
absetzen

DIE GUTE

Ruhe Ruhe
gibt es denn gar keine Abwechslung im Asyl
kommen denn keine Vortragskünstler
keine Tänzer keine Schriftsteller
Vortragsreisende
Taschenspieler Wahrsagerinnen
engagiert denn das Asyl keine Vortragskünstler
Einer der vorliest genügt oft
der eine Taube oder einen Hund verschwinden läßt
um eine Depression
oder um fürchterliche Depressionen
Boris schlägt noch lauter auf die Pauke
Die Gute schreiend
Mir hilft es über die schwierigsten Situationen
wenn ich meiner Vorleserin
schaut auf Johanna
zuhöre Johanna zuhöre
ich kann mir vorstellen wenn ab und zu
wenn ab und zu ein lustiger Mensch
Boris schlägt noch lauter auf die Pauke
ein besonders lustiger oder besonders gescheiter Mensch
in das Asyl käme

KRÜPPEL

Wir brauchen keine Künstler
Wir brauchen keine Vortragskünstler

DIE GUTE

Ja aber
Boris schlägt noch lauter auf die Pauke

DER ÄLTESTE KRÜPPEL

Wir brauchen besseres Essen
längere Betten

Verbesserungen unseres Allgemeinzustandes
keine Künstler
keine gescheiten Menschen liebe Frau
meine liebe Dame
wir machen uns unsere Späße selbst
und wir entwickeln unsere eigenen Philosophien
Alle nicken
Boris schlägt noch lauter zwölfmal sehr rasch auf die Pauke und fällt, ohne daß es jemand bemerkt, wie tot mit dem Kopf auf den Tisch
Ludwigviktor zum Beispiel
kann sich selber verschwinden lassen
er ist einfach weg
man sieht ihn nicht mehr nichts
er ist einfach verschwunden
wenn er seinen Pfiff pfeift
er nennt ihn den Verschwindepfiff
oder Ernstaugust
der sich einfach verdoppelt
oder wenn es sein muß sich auch verdreifachen kann
Sie trauen Ihren Augen nicht meine Dame
zu Ernstludwigviktor
He Ernstludwigviktor zeig der Dame dein Kunststück
zeig daß du nicht nur einen Kopf auf hast sondern vier
vier gleiche oder jedenfalls zum Verwechseln ähnliche
zeig doch der Dame dein Kunststück
Krüppel schüttelt den Kopf
Er will nicht
es geht nicht wenn er nicht will
er sagt es geht nicht
er empfindet jedesmal wenn er vier Köpfe hat sagt er
was auch verständlich ist
den vierfachen Schmerz sagt er
vier Köpfe tun viermal so weh wie ein Kopf
der einfache Kopfschmerz bringt ihn schon zur Verzweiflung
Und denken Sie meine liebe Dame der vierfache
macht nichts Ernstludwigviktor
wir sind alle immer wieder überrascht daß auf ihm alle vier Köpfe Platz haben
wo ihm einer schon viel zu schwer ist
Er wundert sich selber

Nein meine Dame wir machen uns unsere Späße selber
Aber meine Dame was Ludwigkarlernst macht
das verschweige ich lieber
oder Karlviktorernst
Er schneidet sich völlig schmerzlos
Nein meine Dame nein
oder Karlludwigernst
nein meine Dame nein
Boris gab uns immer ein paar Augenblicke das Gefühl
daß wir Beine haben
aber es gelang ihm nicht immer
dieses Kunststück verlangte von ihm eine übermenschliche
Konzentration
Manchmal wenn wir es wünschten
warteten wir auf dieses Gefühl
vergeblich
Karlaugust macht uns vor er sei unser König
wir sehen auf seinem Kopf eine Krone
und finden daß seine Nase gut zu
seinen königlichen Pausbacken paßt
Ernstaugust nennt sich oft Herzog
Karlviktor oft einen Schweinehund
der sein Leben vergrunzt und verbellt
oder wir erzählen uns gegenseitig
wenn wir keine Koliken haben
keine Verdauungsstörungen oder sonstige Körperkomplikationen
die Fehler die wir gemacht haben
die Unvorsichtigkeiten die dazu geführt haben
daß wir keine Beine mehr haben liebe Dame
Karlludwig hat sie in Frankreich
Karlaugust in England
Ernstludwig in Irland verloren
ich selber auf dem Stadtplatz in Paderborn
Ernstludwigaugust wurden sie von den Ärzten
in einer qualvollen Prozedur abgeschnitten
mein Fall ist ein ähnlicher Fall
mir hat ein Hund ein Wolfshund
der einem Nürnberger Gebäudeverwalter gehörte
in beide Beine gebissen
die Ärzte haben sie mir binnen drei Tagen
noch dazu bei Föhnwetter

abnehmen müssen
ich habe es erst drei Wochen später bemerkt
wie ich aufwachte
aus der Narkose

KRÜPPEL

Aus der Narkose

DER ÄLTESTE KRÜPPEL

Ein schönes Spiel ist unser Spiel Gehweitfort
das wir spielen
sind wir in England
sprechen wir englisch
sind wir in Frankreich
französisch
wie auch anders
oder wir machen die Hunde nach
und verbellen unsere Zeit
oder die Kühe
und lassen uns melken
Unser Gebildetster ist ohne Zweifel außer mir Ernstludwigviktor
er zitiert uns die ganze große Literatur
bis herauf an den Jüngsten Tag
bis wir sagen er soll das Maul halten
Aber Karlernst meine Dame macht immer das größte Kunststück
er schneidet sich vor uns den Kopf ab
und ohrfeigt ihn in der Luft
bis wir es nicht mehr aushalten zuzuschaun
er sagt dann wenn er ihn wieder aufsetzt immer
er habe jetzt wieder einen neuen Kopf auf
und verstünde das Leben besser
sieht jetzt, daß alle müde sind
zur Guten
Meine Dame es ist
wie Sie sehen alles aufgegessen
außerdem hat jeden von uns die Müdigkeit
gähnt
die Müdigkeit sehen Sie
ich glaube es ist Zeit daß wir gehen
Alle stoßen sich an

KRÜPPEL

Ein gutes Essen

DER ÄLTESTE KRÜPPEL *zur Guten*

Ein gutes Essen und Trinken meine Dame
ein schöner Geburtstag
Wenn von Ihnen gesprochen wird
ist von der Guten die Rede
immer nur von der Guten
zu allen
Sagt danke schön
sagt danke schön der Dame
sagt der Dame danke schön

ALLE *durcheinander*

danke schön danke schön
danke schön danke schön
Krüppel rüttelt Boris

DER ÄLTESTE KRÜPPEL

Boris
Krüppel rüttelt Boris mehrere Male
Alle schauen auf Boris

JOHANNA *plötzlich*

Er ist tot
schreiend
Er ist tot
zur Guten
Er ist tot
Boris ist tot
Alle mit Ausnahme der Guten entfernen sich, sich selber schiebend oder von den Pflegern und Dienern geschoben, schweigend und mit ihren Rücken zuerst auf den Rollstühlen aus dem Raum. Kaum ist die Gute mit dem toten Boris allein, bricht sie in ein fürchterliches Gelächter aus

Ende

Der Ignorant und der Wahnsinnige

Das Märchen ist ganz musikalisch.

Novalis

Personen

KÖNIGIN DER NACHT
VATER
DOKTOR
FRAU VARGO
KELLNER WINTER

In der Oper

Garderobe der Königin der Nacht
Schminktisch
Rechts und links davon ein einfacher Sessel
Vater auf dem rechten, Doktor auf dem linken Sessel
Kleiderständer

DOKTOR *mit mehreren Zeitungen*
Hören Sie
was über die Premiere geschrieben wird
es handelt sich
um ein unsterbliches Werk
ein Genie etcetera
Vater fast blind, mit Blindenbinden und Blindenstock, trinkt aus einer Schnapsflasche
Die Stimme Ihrer Tochter
die perfekteste einerseits
makellos andererseits
und die Technik
jedes zweite Wort ist das Wort authentisch
jedes dritte Wort das Wort berühmt
Hier
das Wort Koloraturmaschine
wirft eine Zeitung auf den Schminktisch
Da
das Wort phänomenal
das Wort Spitzentöne
wirft eine Zeitung auf den Schminktisch
zwölfmal das Wort Stimmaterial
neunzehnmal das Wort stupend
eine exzellente Partie
Was wir hören
hören Sie
ist nichts als ein Kunstgezwitscher
was wir sehen
Puppentheater
Vater trinkt aus der Flasche
Darf ich Sie darauf aufmerksam machen
daß Sie seit elf Uhr vormittag
ununterbrochen trinken

Sie haben natürlich Grund dazu
natürlich
einerseits hören Sie
Ermüdungserscheinungen in der Rachearie
keinerlei Ermüdungserscheinungen in der Rachearie
andererseits
man muß in erster Linie
das Blutbild heranziehen
aber bis das soweit ist
daß ich alle Befunde habe geehrter Herr
einerseits orkanartig
der Applaus
anerkennend andererseits
überwältigend hören Sie
in der Rachearie von überzeugender
oder
von erregender Durchschlagskraft
wenn sich wie gesagt
die roten Blutkörperchen auf das beängstigendste
verringern
andererseits die weißen
auf das beängstigendste vermehren
einerseits ist die medizinische Wissenschaft
fortgeschritten
andererseits ist sie seit fünfhundert Jahren
stehengeblieben
reden wir nicht von Wissenschaft
wenn wir von der Medizin reden geehrter Herr
hören Sie
was für ein Stakkato

VATER
Was für ein Stakkato

DOKTOR *wirft die Zeitungen weg*
Immer der gleiche Dreck
einen Menschen wie mich ekelt noch immer
vor dem tagtäglichen Empfindungsreichtum
des Feuilletonismus
steht auf und geht hin und her
Hören Sie geehrter Herr
man drängt vorsichtig die Hemisphären
auseinander

zurück
verstehen Sie
wodurch der sogenannte Balken
zur Ansicht gelangt
man zieht nun mit der linken Hand wohlgemerkt
die linke Hemisphäre nach außen
und oben
und ritzt
mit der Spitze des Hirnmessers

VATER
Mit der Spitze des Hirnmessers

DOKTOR
Oberhalb des Balkens
ein
das Wort Präzision ist nicht nur ein Wort
geehrter Herr
und öffnet so
auf das zweckmäßigste
die Cella media des Seitenventrikels
von welcher ich schon gesprochen habe
man beachte den Inhalt
normalerweise Liquor
manchmal auch geehrter Herr
Blut
von der Ventrikelblutung herrührend

VATER
Von der Ventrikelblutung herrührend

DOKTOR
Die Hemisphäre wird angehoben
und eröffnet Hinter- und Vorderhorn
dasselbe auf der anderen Seite
sehen Sie
mit Daumen und Zeigefinger der linken Hand
das Corpus callosum
führt dann das Hirnmesser
mit nach abwärts gerichteter Schneide
sorgfältig
sehr sorgfältig geehrter Herr
bis zu dem sogenannten Foramen Monroi ein
durchtrennt dann Balken und Fornix
und schlägt sie zurück

Vater beide Hände auf die Knie, so daß die Blindenbinden im Vordergrund sind
Jetzt taucht man das Messer
in Wasser
da ein trockenes Messer den Nachteil hat
daß die Schnittflächen
nicht schön aussehen
das soll beim Sezieren des Gehirns
möglichst häufig gemacht werden
man schneidet nun unter einem Winkel von fünfundvierzig Grad
durch die Stammganglien
wobei man aber das Lädieren
der sogenannten Kleinhirnhemisphäre
vermeiden soll
Vater trinkt aus der Flasche
die Schwierigkeit ist
ob eine Anstalt zu empfehlen ist
oder nicht
einerseits in den Anstalten wohlgemerkt
außerordentliche Erfolge
völlige Erfolglosigkeit
andererseits
Hören Sie
bei Ödem Marmorierung
der Stammganglien
geehrter Herr
naturgemäß ist die Aufmerksamkeit immer die größte
die Aufmerksamkeit
wie die Entschiedenheit
wie die Rücksichtslosigkeit
diese drei fortwährend unerläßlich
also wie gesagt
verwaschen begrenzte helle Partien
mit rötlichen abwechselnd
die Blutpunkte betreffend können diese
durch Durchschneiden der Gefäße zustande kommen
sind aber mit dem Messer leicht wegwischbar
bei Stauung
graurote Rinde
viele Blutpunkte in der weißen Substanz
bei Ödem naturgemäß

zerfließen
respektive verschwinden die Blutpunkte

VATER

Verschwinden die Blutpunkte

DOKTOR

Bei der Encephalitis ist aber das Blut
postmortal
durchaus postmortal
aus dem Gefäß ausgetreten
und läßt sich nicht wegwischen
Vater trinkt aus der Flasche
die Feststellung geehrter Herr
daß der Einfluß Ihrer Tochter auf Sie
gleich Null ist
andererseits haben Sie auf Ihre Tochter
nicht den geringsten Einfluß
auf diese Weise entwickelt sich alles
wie wir sehen
mich stoßen die Schnäpse ab
geehrter Herr
aber ich habe Sie noch nicht ein einzigesmal
ohne Flasche gesehen
in den ganzen drei Jahren
in welchen ich mit Ihnen bekannt bin
soviel ich weiß
trinken Sie schon ein Jahrzehnt
und zwar von dem Augenblick an
in welchem Ihre Tochter zum erstenmal
öffentlich aufgetreten ist
Sie müssen zugeben
eine ungeheuerliche Entwicklung
eine ganz und gar erstaunliche Entwicklung
wenn man bedenkt daß die Stimme Ihrer Tochter
ursprünglich
nicht zu der geringsten Hoffnung berechtigt hat
zweifellos ist die Stimme Ihrer Tochter
das Werk des außerordentlichen Herrn Keldorfer
es kommt ja immer darauf an
daß ein Material zu dem richtigen Zeitpunkt
in die richtige Hand kommt
daß es im richtigen Augenblick

mit der richtigen Methode
nicht alle haben dieses unwahrscheinliche Glück
alle diese herrlichen Stimmen
geehrter Herr
die in die falschen Hände gekommen sind
es ist Wahnsinn
wie Hunderte von raffinierten Gesangslehrern
vornehmlich auf unseren Akademien geehrter Herr
Tausende schöner Stimmen ruinieren
skrupellos nützen diese Leute die Stimmen aus
pressen aus Tausenden von Talenten auf das gemeinste
ihren Lebensunterhalt bis zum letzten Groschen heraus
die Akademien sind von akademischen Ausnützern bevölkert
zu einem Großteil von Scharlatanerie durchsetzt
jeder zweite Gesangslehrer ist ein Scharlatan
geehrter Herr
oder sagen wir insgesamt sind die Gesangslehrer
oder die Gesangspädagogen wie sie sich nennen
Scharlatane
setzt sich
man durchtrennt nun den Balken
und schlägt ihn wohlgemerkt nach der linken Seite
wodurch die Glandula pinealis
hinter der Commissura habenularum
zur Ansicht gelangt
Vater zieht die Binden von den Armen herunter und steckt sie ein
machen wir eine Sektion des Kleinhirns
hebt man das Kleinhirn
vorsichtig auf
schiebt die linke Hand wohlgemerkt
unter die Kleinhirnhemisphäre
und kippt sie ein wenig
steht auf und geht hin und her
um bei der darauffolgenden Durchschneidung des Wurms
nicht die sogenannte Rautengrube
oder die Lamina quadrigemina zu verletzen
man faßt das Messer
fiedelbogenartig
zeigt den Vorgang

VATER
Fiedelbogenartig

DOKTOR
Befeuchtet es
und geht median-sagittal so weit ein
bis man in das Fastigium
wie in ein klaffendes Loch schaut
VATER
Wie in ein klaffendes Loch
DOKTOR
Dann dreht man das Messer um
und verlängert den Schnitt
nach vorn
und nach rückwärts
jetzt überblickt man genau
die Rautengrube
geehrter Herr
in diesem Augenblick ist vor allem
auf die Veränderungen des sogenannten Ependyms
zu achten
setzt sich
das hätte man schon an den Seitenventrikeln machen können
erfahrungsgemäß sind aber Ependymveränderungen
hier
in der Rautengrube
stärker
Vater trinkt aus der Flasche
daher auch leichter zu diagnostizieren
Ihre Lebensweise geehrter Herr
ist ansteckend
zwei Stunden Schlaf in der vergangenen Nacht
und den ganzen Tag
überdurchschnittlich viel beschäftigt
wenn man wie ich an einem
sogenannten wissenschaftlichen Werk arbeitet
darf man sich solche Exzesse nicht gestatten
andererseits geht eine unglaubliche Faszination davon aus
sich gehenzulassen
naturgemäß hängt Ihre Schlaflosigkeit
mit Ihrem Geisteszustand zusammen
und Ihr Geisteszustand geehrter Herr
ist die Folge des jahrzehntelangen
unnatürlichen Verhältnisses

zwischen Ihnen und Ihrer Tochter
wenn zwei gänzlich verschiedene Charaktere
noch dazu wenn es sich um Vater und Tochter handelt
ununterbrochen zusammen sind
während jeder von beiden gänzlich für sich allein
existieren müßte
wenn ich denke Ihre Tochter schläft geehrter Herr
denke ich doch nur auf das selbstverständlichste
die Stimme Ihrer Tochter schläft
die Stimme
unaufhörlich geehrter Herr nur die Stimme
während die Stimme Ihrer Tochter schläft
sitzen Sie in den Gasthäusern
andererseits haben Sie eine so ausgezeichnete Konstitution
genau diese Konstitution habe ich nicht

VATER

Sie haben sie nicht

DOKTOR

Im Ependym an der Lichtung des Ventrikels
was die Ependymitis granularis betrifft
feine Granulierung des Ependyms
kleine knöpfchenförmige
grießartige Knötchen

VATER

Feine grießartige Knötchen

DOKTOR *im Aufstehen*

Man schneidet an der größten Zirkumferenz
entlang der Kante der Kleinhirnhemisphäre
wo ein weißer Markstrahl am weitesten
bis an die Oberfläche reicht
ein
und überblickt die Kleinhirnsubstanz
vor allem geehrter Herr
den Nucleus dentatus cerebelli
dasselbe macht man auch auf der anderen Seite
Man klappt nun das Gehirn zusammen
und dreht es um
so daß Basis und die Medulla oblongata
dem Obduzenten zugewendet sind
jetzt geht man unter dem Kleinhirn
das man stützt

ein
und durchschneidet die Hirnschenkel
setzt sich und schaut auf die Uhr
es ist auffallend
daß Ihre Tochter mit jeder Vorstellung
zu einem noch späteren Zeitpunkt
aber in der Schnelligkeit
dann in der Spontaneität
ist die äußerste Konzentration
es ist nicht das erstemal
hören Sie das Orchester ist schon im Graben
und von Ihrer Tochter nichts
die Vargo
nichts
die ganze Zeit horche ich
aber höre keine Schritte
dann
plötzlich
höre ich die Schritte
und alles geht unheimlich schnell
vor der Vorstellung einen Spaziergang machen
die Füße zu rasenden machen
in den Park hinein
unter die Rabatten geehrter Herr
was ihr in letzter Zeit zur Gewohnheit geworden ist
Vater trinkt aus der Flasche
Der Obduzent tritt immer an die rechte Seite
der Leiche
der Kopf der Leiche ist auf einen Holzblock zu legen
um die Haut des Halses gut anzuspannen
die Haut der oberen Halsgegend
geehrter Herr
darf nicht verletzt werden
da die Leichen wegen der Aufbahrung
geschont werden müssen

VATER
Ein rücksichtsloses Kind
ein rücksichtsloses Kind
Haben Sie denn keinerlei Einfluß
auf meine Tochter
in dieser Weise

daß sie

DOKTOR

Damit muß man sich abfinden
daß ein künstlerisches Geschöpf
sich vollkommen selbständig macht
es kann überhaupt nicht mehr mit andern
zusammensein
vor allem was die Verwandtschaft betrifft
aber auch alle übrigen
ein vollkommen künstlerisches Geschöpf
ein solcher zu einem vollkommenen künstlerischen
Geschöpf gewordener Mensch
der ja kein Mensch mehr ist
geehrter Herr
kann von einem bestimmten Zeitpunkt an
überhaupt niemanden mehr
außer sich selbst
sehen
nur sich selbst
es gibt nichts mehr
außer mir
sagt sich ein solches Geschöpf
dann
wenn es sich vollkommen abschließt
und abgeschlossen hat
getrennt hat
für sich ist endgültig
braucht man keine Angst mehr zu haben
geehrter Herr
es ist eine völlig überflüssige Angst
Sie werden sehen gerade zu dem richtigen Zeitpunkt
kommt sie herein
und sie tritt genau zu dem richtigen Zeitpunkt auf
genau dann
wenn Sie es nicht mehr aushalten
und sich Ihren Kopf schon zerbrochen haben
die sogenannten gewöhnlichen Menschen
haben immer vor den Geschöpfen Angst
geehrter Herr
und Menschen und Geschöpfe sind zweierlei
und was erst ein Kunstgeschöpf

VATER

Dem Vater geschieht recht
der was er sich verdient hat
nicht
zu Gesicht bekommt

DOKTOR

Ein solches Geschöpf zu haben
darüber läßt sich nicht streiten
nur die Ahnungslosigkeit der Menge
ist erschreckend
die den künstlichsten aller Mechanismen
nicht anerkennt
Vater trinkt aus der Flasche
das Leben oder die Existenz
sind keine Existenzfrage
geehrter Herr
aber mit der Gutmütigkeit allein
ist auch nichts auszurichten
das Leben ist eine Tortur
wer das nicht begreift
und die Platitüde
nicht wieder gut
und zur Tatsache die schmerzt macht
hat nichts begriffen
andererseits kommen wir
gerade in den Angstzuständen
zu uns selbst
steht auf
das Knorpelmesser in die volle Faust
man nimmt das Knorpelmesser
in die volle Faust
und führt jetzt den Hauptschnitt aus
von der Prominentia laryngea
bis zur Symphyse
sehen Sie
wobei man in der Nabelgegend wohlgemerkt
etwas nach links ausweicht
geehrter Herr
Vater dreht am Lautsprecher. Geräusche aus dem Orchester- und Zuschauerraum von jetzt an zunehmend
im Bereich des Sternum dringt man mit dem Schnitt

sogar bis zum Periost vor
dann den Kreuzschnitt
und durchtrennt Haut
Unterhautzellgewebe etcetera
vordere Bauchmuskulatur samt Faszie
und dringt vorsichtig
bis zum Peritoneum parietale vor
um dieses und den darunter gelegenen Darm
nicht zu verletzen
normalerweise
klare seröse Flüssigkeit geehrter Herr
unter pathologischen Bedingungen geehrter Herr
kann eine Vermehrung der Flüssigkeit
in der Bauchhöhle eintreten
Ascits

VATER
Ascits

DOKTOR
Das gestattet einen Hinweis bei Leberzirrhose
cardialer Stauung etcetera
oder Pfortaderthrombose
es kann sich bei den verschiedenen Formen
der Peritonitis
ein eitriges
fibrinöses Exsudat finden
Haemaskos
Cholaskos etcetera

VATER
Haemaskos
Cholaskos

DOKTOR
Man besichtigt das Omentum majus
dieses zieht von der Taemia omentalis
des Colon transversum
schürzenförmig wohlgemerkt
hinunter ins kleine Becken
bei entzündlichen Prozessen
in der Bauchhöhle geehrter Herr
kommt es zu Adhäsionen mit dem Netz
das Netz ist nach dieser Richtung hin verzogen
ein vollkommen verzogenes Netz

woraus man auf den Ausgangsprozeß schließen kann
man schlägt einfach das Netz nach oben
und betrachtet den Situs der Bauchorgane
ob die Leber weit herunterreicht
zum Vater und tastet ihn ab
hier
sehen Sie
an dieser Stelle
ob die Darmschlingen stark gebläht sind
der Magen weit herunterreicht
drückt ihm auf den Magen
Gastroptose natürlich
und ob die Milz vergrößert ist
schaut auf die Uhr
In letzter Zeit geht sie mit Vorliebe in den Park
auf einmal in den Park
unter das Vogelgezwitscher
verstehen Sie

VATER
Oder sie sperrt sich in ihrem Zimmer ein

DOKTOR
Sagen Sie selbst
diese Gewohnheit ist die merkwürdigste

VATER
Wo sie sich doch früher niemals eingesperrt hat

DOKTOR
In ihrem Zimmer

VATER
Meines Wissens

DOKTOR
Bei zugezogenen Vorhängen
Aber wie sie selbst sagt
ohne sich mit der Partie zu beschäftigen
ganz im Gegenteil lenkt sie sich
durch die verschiedensten selbsterfundenen Methoden
von der zu singenden Partie ab
hin- und hergehend
erledigt sie
in das Magnetophon diktierend
ihre Korrespondenz
oder sie memoriert einen Schauspieltext

ganze Abschnitte aus dem Lear
oder wie ich weiß
neuerdings aus dem Tasso spricht sie
oder sie sitzt am Fenster und legt die Handflächen
auf das Fensterbrett
mit geschlossenen Augen
meine Beobachtungen
geehrter Herr
führen naturgemäß zu Befürchtungen

VATER

Zu Befürchtungen
zu Befürchtungen

DOKTOR

Zu Befürchtungen allerdings
Die Tatsache ist daß Ihre Tochter sich in letzter Zeit
auf das beängstigendste verändert hat
sie ist nicht mehr die gleiche
was wir jetzt sehen
ist etwas ganz anderes
es ist das Entgegengesetzte von dem
das wir noch vor einem Jahr gesehen haben
weil es sich aber um ein Kunstgeschöpf handelt
doch um das gleiche
verstehen Sie
einerseits ist es dieselbe
andererseits nicht
es ist die größte Schwierigkeit
für die Umgebung
daß es sich vor allem um eine Stimme
und zwar um eine ganz bestimmte Stimme
die heute eine der berühmtesten
und wohlgemerkt tatsächlich eine der schönsten ist
nicht aber um einen Menschen handelt
das zu begreifen ist einem Vater natürlich unmöglich
Vater trinkt aus der Flasche
Doktor setzt sich
eine noch größere
eine noch viel größere Wachsamkeit geehrter Herr
dazu Behutsamkeit
empfiehlt sich jetzt
wo es sich um ein perfektes Geschöpf

in einer zweifellos kopflosen Natur handelt
Vater zieht sich blitzartig die Binden auf die Arme
Frau Vargo tritt mit der Krone auf und hängt sie auf den Kleiderständer, bleibt kurz stehen und beobachtet vorwurfsvoll kontrollierend zuerst den Vater, dann den Doktor, wieder ab
natürlich frage ich mich
mit was für einem Menschen ich es zu tun habe
wenn ich diese Person sehe
eine ausgezeichnete Person zweifellos
zweifellos ausgezeichnet
die Vargo ist zweifellos eine ganz und gar
ausgezeichnete Person
Sehen Sie geehrter Herr
Sie können beruhigt sein
ist die Vargo aufgetreten
dauert es auch nicht mehr lange bis Ihre Tochter kommt
das bedeutet daß Ihre Tochter schon im Haus ist
ich verstehe Sie empfinden die Tatsache
daß die Krone jetzt auf dem Kleiderständer hängt
als einen glücklichen Umstand
hätten wir nicht die Fähigkeit uns abzulenken
geehrter Herr
müßten wir zugeben
daß wir überhaupt nicht mehr existierten
die Existenz ist wohlgemerkt immer
Ablenkung von der Existenz
dadurch existieren wir
daß wir uns von unserem Existieren ablenken
zuerst haben Sie Ihre Flasche versteckt
dann haben Sie den Versuch gemacht
die Flasche zu verstecken
jetzt machen Sie schon jahrelang diesen Versuch
nicht mehr
ganz offen
und ohne geringste Skrupel geehrter Herr
trinken Sie
noch dazu in der Garderobe Ihrer Tochter
aus der Flasche
und es ist Ihnen vollkommen klar
daß Sie fortwährend betrunken sind
diesem Unterhaltungsmechanismus

kommt aber dieser Umstand
vollauf zugute
einen Menschen wie Sie
kann man ohne weiteres einer Wissenschaft unterstellen
zugegeben
haben Sie alle Vorzüge eines einer Person
wie der meinigen
ungemein förderlichen Objekts
das ist in der Tat eine Auszeichnung
wenn Sie eine Person
wie die Vargo hassen
damit erreichen Sie nichts
diese Leute beobachten fortwährend
und machen ihre Beobachtung zu einem krankhaften Zustand
von dem sie sich nicht mehr trennen können
weil sie ihren Kopf nicht beherrschen
hier kann nur mit Überraschungseffekten
gekommen werden
damit ist aber nicht eine
äußerliche Überraschung gemeint
ich denke wieder an den Kopf
aber sosehr sich alle diese Leute darum bemühen
und wie nachdrücklich sie auch immer darauf
hinweisen
sie haben keinen Kopf auf
dadurch haben sie naturgemäß
überhaupt kein Beurteilungsvermögen
Sie gehen
einmal folgerichtig einmal nicht
solange Sie gehen
durch eine vollkommen kopflose Gesellschaft
und haben die ganze Geschichte in Ihrem Rücken
tatsächlich schleifen Sie ja Ihr ganzes Leben
die Geschichte hinter sich her
und sehen vor lauter Köpfen keinen einzigen Kopf
und haben dadurch fortwährend Angst
vor einem plötzlich auftretenden Blutgerinnsel
wenn Sie sich alle übrigen Köpfe geehrter Herr
als eine zähe stinkende
oder völlig geruchlose Masse vorstellen
sozusagen

als Wasserkopfspiegel
aus welchem ihr eigener Kopf herausragt
und diesem Kopf ist die ganze Zeit zum Erbrechen
dadurch kann er nur noch Verrücktes
und niemals Geglücktes
zitieren geehrter Herr
Ist ein solcher Kopf unter lauter Köpfen
nicht ein erbarmungswürdiger Zustand
die Frage ist tagtäglich
wie komme ich durch einen Trick
einen tagtäglichen neuen Trick
durch den Tag
das ist beschämend und macht zweifellos krank
steht auf und geht hin und her
Ihre Tochter ist die labilste
zweifellos auch subtilste
in ihrer Entwicklung
für ihre Umgebung beängstigend
alles an ihr ist jetzt anders
Wenn das so leicht wäre
eine Anstalt zu empfehlen
aber es gibt keine Anstalt
die empfehlenswert ist
man steckt die Leute in eine Kur hinein
zur Entziehung einer Übelkeit
sie machen eine sogenannte Entziehungskur
aber dem Menschen kann
nichts entzogen werden
schon gar nicht eine ihn umbringende Veranlagung
trinkt einer
so muß man ihn trinken lassen
zuschauen wie er trinkt
und wohin er damit kommt
wird einer wahnsinnig
können wir nichts dagegen tun
wenn das so einfach wäre
wenn wir einen Trinker
in eine Anstalt stecken
einen Wahnsinnigen
einen Verrückten
geehrter Herr

das ist ein Verbrechen
tatsächlich schämen wir uns
vor der allerhöchsten Instanz der Natur
die sich uns auf dem Gipfel der Verzweiflung zeigt
glauben Sie mir
Ihre Tochter meint es gut
wenn sie sagt
gehen Sie wieder in eine Anstalt
machen Sie eine Entziehungskur
aber kompetent ist sie nicht
Vater dreht am Lautsprecher
Die Musiker
höre ich recht
sind schon im Graben

VATER

Das eigene Kind
ist immer das rücksichtsloseste

DOKTOR

Das ganze Leben
ist das rücksichtsloseste
geehrter Herr
und eine einzige Beschämung
Vater dreht den Lautsprecher wieder
aber Sie werden sehen
wenn die Drei Damen auftreten
und wenn die Schlange erlegt ist
ist Ihre Tochter
schon fertiggemacht
für den Auftritt
das verläßlichste in diesem Haus
sind zweifellos die Inspizienten
diese Feststellung habe ich immer gemacht
herrscht hier auch das Chaos
auf die Inspizienten ist Verlaß
beruhigen Sie sich
denken Sie an die Gefühlskälte
und an die Verstandesschärfe einer Person
wie der Vargo
und berücksichtigen Sie
den Pflichteifer Ihrer Tochter
sie würde sich niemals gestatten

zu spät zu kommen
immer später ja
aber niemals zu spät
im letzten Moment hereinzukommen bei der Tür
ist der größte Vorteil
ganz gleich um was es sich handelt
eine Methode bei Konferenzen geehrter Herr
die beste
im Stiegenhaus ein paar Koloraturen
wie Sie wissen
ein paar Schritte
und Ihre Tochter ist da
und Sie brauchen nicht länger in dem Angstzustand zu sein
in welchem Sie sich immer in diesen Augenblicken
befinden
es ist immer das gleiche
die Vargo hängt die Krone auf den Kleiderständer
und Ihre Nerven geehrter Herr
sind zum äußersten angespannt
die Kunst und alles was damit zusammenhängt
ist als Ganzes genommen
eine ungeheure Nervenanspannung
Vater dreht den Lautsprecher wieder
haßt sie den Kapellmeister
wie diesen
geehrter Herr
singt sie am verläßlichsten
und am besten
und sie haßt keinen mit einem größeren Haß
als den
der die heutige Vorstellung dirigiert
dieser Mann hätte Fleischhauer werden sollen
nicht Dirigent
geehrter Herr
immer hören Sie wenn Sie ihn hören
einen Fleischhauer
wahrscheinlich ist Ihre Tochter
unten in der Kantine
und trinkt einen heißen Tee
aber ich bin sicher sie ist schon im Haus
dieser Besuch letztes Jahr

im Teatro Fenice
in dieser Falstaffvorstellung geehrter Herr
ist es passiert
von da ist in ihr die Veränderung eingetreten
weil sie einmal das schönste Theater der Welt
sehen hat wollen
dazu einen wie ich glaube recht mittelmäßigen Kollegen hören
man muß einfach alles
als Ursache in Betracht ziehen
alles kann Ursache sein
möglicherweise ist es eine Todeskrankheit
geehrter Herr
die sie sich im Teatro Fenice geholt hat
aber ich bin überzeugt
daß diese Krankheit sich nicht
oder noch nicht
wenigstens nicht innerhalb der nächsten fünf oder gar zehn Jahre
auf ihre Stimme auswirken wird
dieses schönste aller Talente geehrter Herr
wird sich noch fünf oder gar zehn Jahre entwickeln
wenn es dann plötzlich abbricht
das ist gleichgültig geehrter Herr
zweifellos es ist
wie wenn eine Maschine abgestellt wird
setzt sich
vorgestern hatte sie eine Auseinandersetzung
mit dem Korrepetitor
diese Auseinandersetzungen schaden
ihrer Stimme
Vater trinkt aus der Flasche
Wir haben
das ist erschreckend geehrter Herr
nur immer Wirkungen vor uns
die Ursachen sehen wir nicht
vor lauter Wirkungen
sehen wir keine Ursachen
Übrigens ist das Wesen der Rokitanskyschen Methode
den normalen physiologischen Zusammenhang
der einzelnen Organe
möglichst zu wahren
weil durch brüskes Durchtrennen

normal bestehender Zusammenhänge
oft wichtige anatomische Befunde
verlorengehen
andererseits
oder wir eviscerieren sämtliche inneren Organe
und sezieren auf einem Tisch
steht auf
oder der Virchowsche gänzliche Verzicht
auf den Zusammenhang
abtrennen
entfernen etcetera
geehrter Herr
um sich vor Infektionen zu schützen
ist es vorteilhaft
Gummihandschuhe zu verwenden
wegen der Beeinträchtigung des Tastgefühls
unterläßt man das aber
wir unterscheiden
die allgemeine
und die Detailbeschreibung
die Erhebungen äußerer Veränderungen
beispielsweise
bei gerichtlicher Obduktion oder an einem
unbekannten
tot aufgefundenen Individuum werden
aufs genaueste ausgeführt
zum Beispiel hat eine genaue Beschreibung
von Tätowierungen Hautnarben
des Gebisses
mit allen seinen Plomben zu erfolgen
wir unterscheiden dann
vor allem
zwischen männlicher und weiblicher Leiche
von großer Wichtigkeit ist die Feststellung
des Gewichts der Leiche
dieses kann unter normalen Verhältnissen
eine große Rolle spielen
zum Beispiel gibt eine ungewöhnlich magere Leiche
schon Hinweise
auf eine durch schlecht aufgenommene Nahrung
entstandene Erkrankung

weil zum Beispiel ein bösartiger Tumor des Oesophagus
diesen verengt
geehrter Herr
und so das Schlucken verhindert hatte
am einfachsten ist es
die Leiche abzuwiegen

VATER

Die Leiche abzuwiegen

DOKTOR

Ansonsten wird das Gewicht
schätzungsweise bestimmt und man gibt an
ob die Leiche kachektisch
mager
oder beleibt ist
Falstafftyp
Reithosentyp etcetera
die Feststellung der Körperlänge ist wichtig
weil sie Hinweise auf eine
abwegige Körperbeschaffenheit
gestattet
die Körperlänge hängt ganz wesentlich
von der mittleren Körperlänge der Bevölkerung ab
in unseren Gegenden ist einmeterfünfundsechzig
die mittlere Körperlänge
von diesem Mittelmaß ausgehend
gibt es gewisse Extreme
ist ein Individuum länger als einsachtzig geehrter Herr
bezeichnet man das als Hochwuchs
während eine Körperlänge von mehr als zwei Metern
als Riesenwuchs bezeichnet wird
geht hin und her
bei einem Individuum unter einszwanzig
spricht man von Zwergwuchs
neben der Feststellung der Körperlänge
muß aber auch auf die Proportionen geachtet werden
insbesondere auf den Knochenbau
der in erster Linie die Körperlänge bedingt
bei manchen sehr großen Individuen ist die Körperlänge
nicht gleichmäßig
zum Beispiel sehr lange Beine
Unterlänge

geehrter Herr
ist der Abstand von der Symphyse bis zur Planta pedis
Oberlänge
der Abstand vom Scheitel
bis zum oberen Rand der Symphyse
das allein oft schon Anlaß
für das sogenannte Grundleiden
geehrter Herr
zweifellos ist was ihr das größte Vergnügen gemacht hat
jetzt Ihrer Tochter zur Gewohnheit geworden
daß sie seit Jahren
in den Opernhäusern aus und ein geht
und ihre berühmten Koloraturen singt
ich selbst habe übrigens
wie Sie vielleicht nicht wissen
einmal vor zwanzig Jahren geehrter Herr
in einer nicht unangenehmen Baßstimme dilettiert
und ich habe bei privaten Zusammenkünften
vornehmlich im Hause eines hier in dieser Stadt
sehr angesehenen Spediteurs
unter lauter liebenswürdigen Leuten
die das alles sehr ernst genommen haben
den Sarastro und den Sprecher gesungen
und keine Kirche in dieser Stadt geehrter Herr
in welcher ich nicht
an jedem zweiten Sonntag mindestens
meinen Baß hören habe lassen
die Musik ist erfahrungsgemäß die Kunst
in welche die Mediziner vernarrt sind
und jeder zweite spielt an den Abenden Geige
oder Klavier
und wenn Sie sich in den Wohnungen der Ärzte umsehen
entdecken Sie ganze Galerien von Klavierauszügen
aller möglichen Opern
und wie Sie wissen sind die besten Musiker
aus alteingesessenen Ärztefamilien hervorgegangen
tritt ein Virtuose auf
können Sie mit Sicherheit sagen
er entstammt einer Arztfamilie
oder es handelt sich um die Kinder von Fleischhauern
die sich in den Konservatorien oder Akademien

einschreiben lassen
Vater dreht am Lautsprecher, Applaus aus dem Zuschauerraum, Ouvertüre
Die Ouvertüre
höre ich recht
die Ouvertüre

VATER
Die Ouvertüre

FRAU VARGO
Die Ouvertüre

VATER
Diese fortwährenden
Komplikationen
mit meiner Tochter

DOKTOR
Ein unregelmäßiger Hochwuchs
kommt bei manchen Erkrankungen
der Genitaldrüsen vor
eunuchoider Hochwuchs
ist durch eine zu große Unterlänge charakterisiert
manche Individuen erscheinen beim Sitzen
normal geehrter Herr
stehen sie aber
zu klein
Sie selbst sind dafür das beste Beispiel
Sie haben zu kurze Extremitäten
während Ihr Rumpf normal ist
Das kommt vor allem
bei chondrodystrophischen Zwergen vor
Schritte
Vater steckt sich die Binden ordnungsgemäß an die Arme. Frau Vargo tritt von links auf, hinter ihr die Königin. Doktor ist aufgesprungen, küßt der Königin die Hand, während der Vater apathisch sitzen bleibt. Königin geht zu ihm hin und küßt ihn auf die Stirn

VATER
Spät mein Kind
spät mein Kind
es ist rücksichtslos
Meine große Geduld
aber der Vater verdient

eine rücksichtslose Tochter
Alle Welt bewundert dich
aber ich schäme mich
mich schmerzt die Schizophrenie
meiner Tochter

DOKTOR *zur Königin*
Ihr Herr Vater ist schon
zwei Stunden in der Oper
Sie kennen seine Nervosität
er ist nicht zu beruhigen
da habe ich ihm von meiner Tätigkeit erzählt
ich bewundere die Aufmerksamkeit Ihres Vaters
Königin küßt den Vater noch einmal auf die Stirn, mit Frau Vargo nach rechts ab
Sehen Sie
sie ist da
ist es auch der letzte Moment

VATER
Immer im letzten Moment
das ist rücksichtslos
die Ouvertüre
trinkt aus der Flasche
es ist immer das gleiche

DOKTOR
Sie bedenken nicht
Sie vergessen immer
die Geschicklichkeit der Frau Vargo
das geht alles sehr schnell
ein kurzer Prozeß mit den Kostümen

VATER
Das ist rücksichtslos
zuerst
unter den schwierigsten Umständen
die Tochter studieren lassen
dann unter den fürchterlichsten Umständen
ununterbrochen Zeuge
ihrer Rücksichtslosigkeit

DOKTOR
Das dürfen Sie nicht sagen
geehrter Herr
Ihre Tochter ist die diszipliniertestе

Wenn Sie wüßten
was für eine ungeheure Schlamperei herrscht
in diesem Hause
und nicht nur in diesem Hause
es ist ein Wunder
daß Ihre Tochter überhaupt auftreten kann
unter diesen fürchterlichsten Umständen
in diesem Narrenhaus
und daß sie sich durchgesetzt hat
dazu hat sie ins Ausland gehen müssen
jetzt wo sie berühmt ist
kann sie sich
hier
behaupten
wäre sie nicht weggegangen
sie wäre heute nicht
was sie heute ist
wäre sie dageblieben
ihre Kollegenschaft hätte sie zertrampelt
sie wäre in Intrigen erstickt
sie hätte längst aufgegeben
bestenfalls wäre sie
nichts anderes als Operette
oder sie hätte sich zur Geliebten des Intendanten
degradiert
durch Rücksichtslosigkeit vor allem gegen sich selbst
ist sie zu der berühmtesten aller Koloratursängerinnen
geworden
die heutzutage auftreten
bedenken Sie was es sie gekostet hat
die unglaubliche Nervosität zu überwinden
die sie noch vor fünf oder sechs Jahren
an der Ausübung ihrer inzwischen längst erreichten
Künstlerschaft
gehindert hat
natürlich leidet jetzt
ihre Umgebung darunter
an dem
was sie heute ist
aber ihre Umgebung geehrter Herr
das müssen Sie zugeben

hat sie ja zu dem gemacht
das sie ist
ihre Umgebung hat nichts anderes haben wollen
Sie haben eine Tochter
die die berühmtesten Koloraturen der ganzen Welt singt
wenn Ihnen das nicht genügt
müssen Sie verzweifeln
konsequenterweise müssen Sie sich umbringen
Was hier
in nächster Nähe Ihrer Tochter
vor sich geht
ist zweifellos
karg und künstlich geehrter Herr
aber damit hat sich die Umgebung zweifellos abzufinden
wir haben es mit einem erstaunlichen
Theater
mit einer theatralischen Eiseskälte zu tun geehrter Herr
nicht mit einem unterhaltenden elementaren Schauspiel
es ist ganz klar
daß die Umgebung eines solchen Phänomens
handelt es sich noch dazu
um eine Koloratursopranistin
von solcher Berühmtheit
zu Bewegungslosigkeit
und zu Bedeutungslosigkeit
verurteilt ist
natürlich muß man erschrecken
an der Begriffelosigkeit
Tatsache ist
daß Ihre Tochter sich
verändert hat
Ihre Redeweise
ist eine andere
Ihre Bewegungen
andere
aber die Medizin hat damit
nichts zu tun
wie die Medizin ja überhaupt nichts
mit dem Menschen zu tun hat
verstehen Sie
dieser Irrtum geehrter Herr

weil die Medizin überhaupt nichts mit dem Menschen
zu tun haben kann
das wird nicht begriffen
und stößt naturgemäß geehrter Herr
auf vollkommene Ablehnung
der Mensch interessiert die Medizin überhaupt nicht
es handelt sich um eine Wissenschaft
von den Organen
nicht um eine solche
von den Menschen
das Gewebe ist das Interessante geehrter Herr
nicht das darunter
oder dahinter
oder wie immer
die Werkzeuge sind durchaus keine philosophischen
Die Stimme Ihrer Tochter
hat sich allerdings
nicht verändert
jedenfalls hat die Öffentlichkeit
eine solche Veränderung
noch nicht wahrgenommen
die Öffentlichkeit
hält immer den Zeitpunkt für gekommen
wenn er längst vorbei ist
überhaupt hat die Öffentlichkeit kein Ohr
für Veränderungen
aber ich bin sicher Sie sehen was ich sehe
daß die Natur Ihrer Tochter in einem Prozeß
begriffen ist
der sie von Grund auf verändert
verändert hat
Ihr Fehler ist
daß Sie was Sie betrachten
immer als das gleiche anschauen
das ist zweifellos der elementarste Irrtum

VATER

Wenn ich ihr sage
daß ich drei Stunden
ohne Binden gegangen bin
glaubt sie mir nicht

DOKTOR

Zwischen Ihnen geehrter Herr
und Ihrer Tochter
ist nichts als das Mißtrauen
Ursache aller möglichen Krankheiten
geehrter Herr

VATER

Daß ich ohne Binden
durch alle diese Straßen
und an Hunderten und Tausenden von Menschen
vorbei
gegangen bin
allerdings kenne ich diese Wege
als Kind bin ich alle diese Wege gegangen
obwohl alles ganz anders ist heute

DOKTOR

Die Struktur der Wege ist die gleiche

VATER

Ja
die Struktur ist die gleiche

DOKTOR

Wege die man als Kind geht
die man oft geht in der Kindheit geehrter Herr
ganz einfach solche Wege
die man längere Zeit geht
geehrter Herr
kann man auch blind gehn
Wenn Sie mir die Augen zubinden
finde ich durch die ganze Stadt
mein Vaterhaus geehrter Herr
das bereitete mir keinerlei Schwierigkeiten

VATER

Sie glaubt natürlich nicht
was ich sage
sie hat mir noch nie geglaubt
Ihre Mutter und sie
meine Tochter
lieber Doktor
waren nichts anderes als eine Verschwörung
gegen mich
an ein Aufkommen gegen die beiden

war nicht zu denken
dadurch bin ich von Anfang an
geschwächt gewesen
nach dem Tod meiner Frau
ihrer Mutter
glaubte ich
an eine Besserung dieses Zustands
aber dieser Zustand besserte sich nicht
im Gegenteil
eine Verschlimmerung dieses Zustands ist eingetreten
sie glaubt
wenn sie mich auf die Stirn küßt
das sei genug
alle ihre Handlungen
sind gegen mich
der Vater büßt
für die Unsinnigkeiten
Unwahrheiten
Ungeheuerlichkeiten
ihrer Mutter

DOKTOR

Wer die Zeit so stark empfindet
wie Sie geehrter Herr
und alles so ernst nimmt
leidet natürlich
unter jedem Atemzug
das ist eine Veranlagung
die Natur ist dadurch
eine unerträgliche
zweifellos sind solche Menschen wie Sie
zu bedauern

VATER

Der Lohn
ist immer
Verachtung
Daß ich den ganzen Tag
und die halbe Nacht
wie Sie wissen
trinke
hat seine Ursache

DOKTOR

Schließlich muß man
die Beherrschung verlieren
für die Außenwelt
ist eine Komödie
was in Wirklichkeit
eine Tragödie ist
geehrter Herr

VATER

Zwei Flaschen
an einem Tag

DOKTOR

Wenn man Ihnen
die zwei Flaschen entzieht
gehen Sie ganz erbärmlich zugrunde

VATER

Es ist mir zur Gewohnheit geworden

DOKTOR

Man flüchtet
in eine unsinnige Tätigkeit
und sei es
daß man von einem bestimmten Zeitpunkt an
nurmehr noch trinkt
oder auf und ab geht
oder die ganze Zeit
nurmehr noch mit Kartenaufschlagen verbringt
mit Handlesen
der eigenen Hände
geehrter Herr
oder mit Briefeschreiben
oder mit wahnsinniger Lektüre
daß man jedesmal
wenn man aufwacht
wieder ein Medikament einnimmt
um wieder einzuschlafen
und so jahrelang
Jahrzehntelang geehrter Herr
denn manchmal
dauern die verrücktesten Zustände
die einer hat
eine Ewigkeit

einmal glauben wir
die Literatur
einmal glauben wir
die Musik
einmal glauben wir
Menschen
aber es gibt kein Mittel

VATER

Da das bedeutungslos ist
trinke ich jetzt schon die längste Zeit
nur noch den billigsten Schnaps
der Inhalt der Flasche
ist mir gleichgültig

DOKTOR

Andererseits ist die Trunksucht
ein Kunstmittel
Königin mit der Frau Vargo herein. Königin jetzt bereits im Kostüm, aber ungeschminkt, ohne Krone, die von Frau Vargo auf dem Kleiderständer in Ordnung gebracht wird
zum Vater
Zwischen zwei Sätzen erzwingt Ihre Tochter sich
ein Nachdenken
das ist die bemerkenswerteste Neuigkeit
von welcher für mich
geehrter Herr
eine unglaubliche Faszination ausgeht
Königin setzt sich an den Schminktisch. Frau Vargo schminkt die Königin hastig

KÖNIGIN *zur Vargo*

Daß die Krone
nicht wackelt auf meinem Kopf
Die Beschwerden
die Sie haben
sind nichts als Einbildung
Sie sind die gesündeste
allerdings
markiert eine Koloratur
allerdings schämen Sie sich
gesund zu sein
Sie sehen eine Schande darin
markiert eine Koloratur

DOKTOR *zum Vater*
Dann ist sie
geht man längere Zeit mit ihr
schweigsam
es ist auffallend
Ihr Lieblingswort ist das Wort Luft
sehr oft gebraucht sie das Wort Szenenwechsel
auch das Wort selbstherrlich
und die Wörter Umstand und Zustand
kommen alle Augenblicke
in dem was sie spricht vor
auch scheint sie sich auf die deutsche Sprache
nicht mehr zu verlassen
sie gebraucht auffallend viel
englische und französische Wörter
heute singt sie die Königin der Nacht
zum zweihundertzweiundzwanzigstenmal

KÖNIGIN
Ich habe einen Tisch
bei den Drei Husaren reservieren lassen

FRAU VARGO
Das Kostüm ist ausgebürstet worden
die Krone ist poliert worden
Der Regieassistent entschuldigt sich
wegen seiner vorlauten Redeweise
Den Empfang bei den Musikfreunden
habe ich abgesagt

KÖNIGIN
Absagen
absagen
wir müssen alles absagen
in Zukunft alles absagen
verstehen Sie
wir sagen in Zukunft alles ab
nicht wahr Doktor
wir sagen zukünftig alles ab
früher haben wir überall teilgenommen
jetzt sagen wir alles ab
wir gehen nirgends mehr hin
wir haben schon alles gesehen
alles gehört

uns ist alles auf der Welt
vertraut
wir kennen sie
wir brauchen nichts mehr
nichts
nichts
markiert eine Koloratur
Wir haben schon alles gehört
wir haben schon alles gesehen
markiert eine Koloratur
zum Vater
nicht wahr
wir kennen alles
uns ist alles bekannt
Wir kennen alle Opern
alle Schauspiele
wir haben alles gelesen
und wir kennen die schönsten Gegenden auf der Welt
und insgeheim hassen wir das Publikum
nicht wahr
unsere Peiniger
markiert eine Koloratur
wir treten auf
und verabscheuen
was wir kennen

DOKTOR
Es liegt in der Natur der Sache

KÖNIGIN
Sie haben recht Doktor
es liegt alles immer
in der Natur der Sache
Vater trinkt aus der Flasche
Solange ich die Koloraturen herausbringe
trete ich auf
markiert eine Koloratur

DOKTOR
Die zweifellos berühmtesten Koloraturen
Königin markiert eine Koloratur
Ihr Herr Vater
ist drei Stunden
und stellen Sie sich vor

ohne Binden
durch die Stadt gegangen

KÖNIGIN *markiert eine Koloratur*
Glauben Sie ihm kein Wort
alles Lüge was er sagt
ein Blinder
ohne Binden
kommt nicht weit
die Leute stoßen ihn nieder
sie zertrampeln ihn
zum Vater
Lügner
markiert eine Koloratur

DOKTOR
Ihr Herr Vater ist durchaus glaubwürdig

KÖNIGIN
Glaubwürdig
markiert eine Koloratur
glaubwürdig
ja das weiß ich

DOKTOR
Wie ich höre
fahren Sie nicht
mit mir nach Paris

KÖNIGIN *markiert eine Koloratur*
Ich bin erschöpft
tatsächlich
ich bin erschöpft
mein Vater ist trunksüchtig
und ich bin erschöpft

DOKTOR
Eine Reise nach Paris
ohne die geringste Verpflichtung
stellen Sie sich vor
auf einer solchen Reise
regenerieren Sie sich vollkommen

KÖNIGIN *schaut auf den Vater*
Und er

DOKTOR
Meiner Ansicht nach

KÖNIGIN

Ich kann ihn unmöglich allein lassen
Sie sehen ja selbst
daß er nicht zur Vernunft
zu bringen ist
er weigert sich
auf das zu hören
was ihm gesagt wird
jetzt sind es zwei Flaschen
in einem halben Jahr
sind es drei
ich brauche keine Reise
Doktor
das Gegenteil Doktor

VATER

Eines Tages werde ich umsonst warten

KÖNIGIN

Diese fortwährenden Beteuerungen
natürlich
alt werden
markiert eine Koloratur
alt werden
nichts sonst
zur Vargo
mehr Rot auf die Wangen mehr Rot
andererseits
nein
machen Sie die Wangen weiß
ganz weiß
machen Sie sie weiß weiß

FRAU VARGO

Weiß paßt immer

DOKTOR

Natürlich

KÖNIGIN

Natürlich Weiß
Weiß natürlich
Zur Königin der Nacht
paßt Weiß
dickes Weiß
zur Vargo

da haben Sie recht
ganz dickes Weiß
Sie sind ja so schweigsam Doktor

DOKTOR
Ich wiederholte die Leichenöffnung

KÖNIGIN
Setzen Sie sich doch

DOKTOR
Ich wollte gerade
Sigauds Unterscheidungen wissen Sie
Typus respiratorius
Königin markiert eine Koloratur
Typus digestorius
Typus muscularis
Typus cerebralis

VATER
Typus cerebralis
Typus muscularis
Typus digesorius

DOKTOR
Digestorius
geehrter Herr
digestorius

VATER
Digestorius

DOKTOR *zur Königin*
Meine Beschäftigung
interessiert Ihren Herrn Vater
er ist der aufmerksamste Zuhörer
der sich denken läßt
Vater trinkt aus der Flasche
Auf dem Spaziergang
heute nachmittag
wollte er unbedingt
die Zergliederung
des Gehirns erklärt haben
meine Zeit war aber
zu kurz
ich hatte im Institut zu tun
aber ich versprach ihm
vor der Vorstellung

hier
in der Garderobe
einen Kurs zu geben
und da wir so lange
warteten
hatte ich Gelegenheit
mehrere Details
vorzubringen
die ich noch nicht
vorgebracht habe
In der Kantine
wo wir die Flasche kauften
gestand Ihr Herr Vater
seine große Zuneigung
um nicht das Wort Liebe sagen zu müssen
zu Ihnen
er hängt
mit seinem ganzen Wesen
an seiner Tochter

FRAU VARGO

Soll ich die Krone aufsetzen

KÖNIGIN

Nicht jetzt
noch nicht

FRAU VARGO

Den Gürtel

KÖNIGIN

Den Gürtel
Frau Vargo geht zum Kasten und holt einen breiten glitzernden Gürtel mit doppelt so breiter glitzernder Schärpe heraus und hängt ihn auf den Kleiderständer

DOKTOR

Also sagte ich
zu Ihrem Herrn Vater
mehrere Male das Wort Peritonitis
weil er durch ein plötzliches
lautes Durcheinandersprechen
vor der Garderobe
wahrscheinlich handelte es sich um Musiker
um Orchestermusiker
nicht verstand was ich sagte

nach anderer Einteilung
sagte ich
unterscheiden wir
den pyknischen Typus
den leptosomen Typus
den athletischen Typus
beim pyknischen Typus
stark entwickeltes Abdomen
gedrungener Thorax
Fettansatz etcetera
Königin markiert eine Koloratur
eine extreme Form des leptosomen Typus ist

KÖNIGIN *gleichzeitig*
Der Typus asthenicus

KÖNIGIN *allein*
Auch als Habitus phthisicus bezeichnet

DOKTOR
Richtig
das subkutane Fettpolster
zunächst dem Bereich des Abdomens
aber auch im Bereich der Extremitäten
Königin markiert eine Koloratur
ist zu prüfen
bei Leuten mit außergewöhnlich reichem subkutanem Fettpolster
vermuten wir
Königin markiert eine Koloratur

DOKTOR *gleichzeitig mit der*

KÖNIGIN
Daß die eine Erkrankung innersekretorischer Drüsen hatten

KÖNIGIN *allein*
Zum Beispiel der Hypophyse

DOKTOR
Dystrophia adiposogenitalis etcetera

KÖNIGIN *markiert eine Koloratur*
zum Vater
Dieses Trinken
und dieses Herumreisen
dieses fortwährende
beiderseitige Zusammensein
muß ein Ende haben
markiert eine Koloratur

zum Doktor
mein Vater ist
ein völlig heruntergekommener Mensch
markiert eine Koloratur
weil ich nachgegeben habe
markiert eine Koloratur
weil ich schwach geworden bin
und ihn
obwohl ich gewußt habe
wohin das führt
wieder mitgenommen habe
auf meine Reisen
nach Amerika
und nach Australien
der größte Fehler ist gewesen
daß ich ihn nach Skandinavien mitgenommen habe
markiert eine Koloratur
dort hat er sich das Trinken
von Schnaps angewöhnt
seither kein Tag mehr
ohne das unaufhörliche Trinken
aus der Flasche
markiert eine Koloratur

DOKTOR
Gewöhnlich nützt es
nichts
wenn man einem Trunksüchtigen
die Flasche entzieht
ihm die Möglichkeit nimmt
zu trinken
einem Trinker
kann man nicht helfen

KÖNIGIN *markiert eine Koloratur*
zur Vargo
Wenn Sie mir doch die Haare
feststecken
jedesmal glaube ich
selbst unter der Krone
daß ich meine Haare verliere
ein entsetzliches Gefühl
wirklich

ein entsetzliches Gefühl
markiert eine Koloratur

DOKTOR

Wenn Ihr Herr Vater
wenigstens auf mehrere Wochen
ins Gebirge ginge
dort haben Sie doch
dieses schöne einsam
und vollkommen abseits gelegene Haus
in der guten Gebirgsluft
Königin markiert eine Koloratur
Wenn sich Ihr Herr Vater dort
mit einfacher Arbeit
Beschäftigungen beispielsweise
wie Holzhacken
oder Beerenpflücken
die Zeit vertriebe
nichts Intellektuelles
auf keinen Fall
dürfte er sich mit Büchern
oder gar mit Philosophie beschäftigen
denn daran verschlimmerte sich zweifellos
sein Zustand
in frischer Luft gehen
und besondere Sorgfalt
auf die Mahlzeiten legen
und natürlich in dem Bewußtsein
daß Sie immerfort an ihn denken
gleich wo Sie sind
sei es die entfernteste Entfernung

KÖNIGIN *zur Vargo*

Wenn Blumen kommen
schicken Sie sie sofort
in das Altersheim
Wenn jemand nach mir fragt
keine Auskunft
markiert eine Koloratur
Wenn es sich um Einladungen handelt
ablehnen
werden Briefe abgegeben
stecken Sie sie ein

aber belästigen Sie mich nicht damit
ich gebe keine Autogramme mehr
mir ist nichts mehr verhaßt
Außerdem
markiert eine Koloratur
außerdem haben wir keinen Tee mehr
besorgen Sie Tee
und nähen Sie mir die Knöpfe
an meinen Wintermantel
zum Vater
Du bemühst dich
aber es ändert sich nichts
markiert eine Koloratur
wie ich mich bemühe
und sich nichts ändert

DOKTOR

Wenn man sich
ein solches Unglück
leisten kann
eine Verwahrlosung
von innen heraus
nach außen

KÖNIGIN *zum Doktor*

Sagen Sie selbst
ist es nicht fürchterlich
über zweihundertmal
die gleiche Partie zu singen
Gehetztwerden
durch sämtliche Opernhäuser
von den Zauberflötenkoloraturen
getrieben

DOKTOR

Es ist ein Höhepunkt
absolut ein Höhepunkt
zum Vater
ein Höhepunkt
geehrter Herr

VATER

Ein Höhepunkt

DOKTOR

Das Genie

ist eine Krankheit
der ausübende Künstler
eine solche Entwicklung
ist ein Krankheitsprozeß
den die Öffentlichkeit
mit der höchsten Aufmerksamkeit verfolgt
eine Stimme
eine solche Koloraturstimme
wie die Ihrer Tochter
geehrter Herr
beobachtet die Menge
wie auf dem Seil
in ständiger Angst
sie könnte abstürzen
als hätten wir es
mit einem menschlichen Wesen zu tun
alles nichts als
Empfindung
zum Vater
Eine solche Stimme
ist eine Kostbarkeit
geehrter Herr
und durchaus nicht alltäglich
Tausende werden ausgebildet
aber nur eine einzige
bewundern wir schließlich

VATER
Ich selbst habe
eine traurige Kindheit gehabt
während meine Tochter
immer verhätschelt worden ist

DOKTOR
Aber nur bis zu dem Zeitpunkt
in welchem sie in die Akademie
eingetreten ist

VATER
Sie hat einen Freiplatz
bekommen
schon im ersten Jahr
ein Begabtenstipendium
Der Präsident der Akademie

hat erkannt
daß es sich
um ein Talent handelt
bei meiner Tochter
Er trinkt aus der Flasche

DOKTOR
Es müßte doch
eine ungeheure Befriedigung sein
die Gewißheit
einen Mechanismus als Tochter
zu besitzen
oder eine Tochter als Mechanismus
berühmt
und unvergleichlich
der die Theaterwelt
verzaubert
geehrter Herr

VATER
Sie ist ungezogen
und rücksichtslos
und unbelehrbar

DOKTOR
Sehen Sie doch
die Schönheit Ihrer Tochter
wie keine zweite

FRAU VARGO *zur Königin*
Ihr Herr Vater sollte nicht so viel trinken

KÖNIGIN
Davon spricht ja auch
der Doktor
daß die Natur
nicht zu ändern ist
markiert eine Koloratur
alles immer wieder sagen
immer wieder
das gleiche

DOKTOR
Wenn Sie beide sich
entschließen könnten
wenigstens kurze Zeit
auseinanderzugehn

Ihr Herr Vater trennt sich
von Ihnen
seiner Gesundheit zuliebe
Königin markiert eine Koloratur
Sie trennen sich
von Ihrem Vater
Ihrer Kunst zuliebe
denn ständige Nervenanspannung
wenn wir sie als sinnlos bezeichnen müssen
schwächt die Stimme
dann singen Sie auf einmal
die Koloraturen
nicht mehr mit einer solchen
erstaunlichen Leichtigkeit

KÖNIGIN *zur Vargo*
Tragen Sie Weiß auf
viel Weiß
das Gesicht
muß ein vollkommen künstliches Gesicht sein
mein Körper
ein künstlicher
alles künstlich

DOKTOR
Wie Sie wissen Frau Vargo
handelt es sich
um ein Puppentheater
nicht Menschen agieren hier
Puppen
Hier bewegt sich alles
unnatürlich
was das Natürlichste
von der Welt ist
Königin markiert eine Koloratur
Das dickste Weiß
Frau Vargo
sparen Sie nicht
mit Schminke
sparen Sie nicht
Vater trinkt aus der Flasche
dickes Weiß
sehr dickes Weiß

VATER

Das Weiß dick

DOKTOR

Das unterstreicht
die Künstlichkeit
das unterstreicht
die natürliche Künstlichkeit

KÖNIGIN *zur Vargo*

Sind die Nähte fest
ist alles fest angenäht
fortwährend habe ich Angst
daß
wenn ich den Arm hebe
das Kostüm zerreißt
daß nichts auseinanderreißt
Frau Vargo
das ist entsetzlich
plötzlich
zerreißt das Kostüm unter dem Arm
und das Publikum
bricht in Gelächter aus
es reißt
daß nichts auseinanderreißt
plötzlich diese Bewegung
hebt blitzartig den rechten Arm und das Kostüm zerreißt unter dem Arm überlaut
schreit
Es ist schon wieder zerrissen
es ist schon wieder zerrissen
wenn ich den Arm aufhebe
hebe ich den Arm

DOKTOR

Aber Frau Vargo

KÖNIGIN

Sehen Sie Doktor
immer wieder sage ich
alles fest zusammennähen
und es zerreißt

DOKTOR

Das ist ein Unglück
kurz vor dem Auftreten

zerreißt das Kostüm

KÖNIGIN

Es ist immer das gleiche
kurz vor dem Auftritt
zerreißt es
das ist doch unsinnig
das ist gemein
Frau Vargo
immer wieder sage ich feste Nähte
die Nähte fest
dann hebe ich den Arm
und das Kostüm zerreißt

DOKTOR

Unmittelbar
vor dem Auftritt

VATER

Das ist unentschuldbar
Frau Vargo
Frau Vargo bemüht sich so rasch als möglich, den Riß im Kostüm unter dem rechten Arm zuzunähen, wobei ihr der Doktor behilflich ist

DOKTOR

Haben Sie denn
keinen Spezialzwirn
Frau Vargo

KÖNIGIN

Wie oft sage ich
verschaffen Sie sich
einen Spezialzwirn
aber es ist immer das gleiche
das Kostüm wird mit einem ganz gewöhnlichen Zwirn
zusammengenäht
und zerreißt natürlich
an der heikelsten Stelle

VATER

Dadurch wird meine Tochter
so nervös
dadurch verpatzt sie unter Umständen
eine Koloratur

DOKTOR

Und die ganze Vorstellung

ist in Gefahr
Frau Vargo

KÖNIGIN
Warum nähen Sie mir denn nicht
von vornherein das Kostüm so
daß es nicht zerreißen kann
daß ich mich in dem Kostüm bewegen kann
wie ich will
es ist schon hundertmal zerrissen

DOKTOR
Als ob dieses Zerreißen des Kostüms
zur Oper gehörte
zum Vater
das muß Ihre Tochter
ja nervös machen

KÖNIGIN
Immer die gleiche Prozedur Doktor
ich hebe den Arm
und das Kostüm zerreißt
das ist das
was mich verrückt macht
kein Mensch versteht
meine Nervosität
dabei macht mich dieses Zerreißen des Kostüms
verrückt
kein Mensch weiß
was ich mitmache
daß meine Umgebung die unverläßlichste ist
alles ist hier unverläßlich
in diesen Theatern und Opernhäusern wimmelt es
von unverläßlichen Leuten

DOKTOR
Hier herrscht nichts als der Dilettantismus

VATER
Und die Schadenfreude

DOKTOR
Die Schadenfreude natürlich
Frau Vargo ist fertig mit dem Zunähen und die

KÖNIGIN *sinkt verzweifelt vornüber, richtet sich aber sofort wieder auf*
Es ist fürchterlich Doktor

tatsächlich
es ist fürchterlich
hebt blitzartig den linken Arm auf, der laut hörbar zerreißt

DOKTOR
Eine Katastrophe
eine Katastrophe
Frau Vargo
Frau Vargo näht so schnell als möglich den Riß unter dem linken Arm zu
Es eilt
hören Sie Frau Vargo
es eilt
Die Ouvertüre

FRAU VARGO
Die Ouvertüre
so rasch habe ich
die Ouvertüre noch gar nicht gehört
auf einmal die Drei Damen
auf der Bühne

VATER
Immer zu spät
und immer alles im letzten Moment
jedesmal eine Katastrophe
das ist rücksichtslos
mein Kind

KÖNIGIN
Wenn man dazu
einen Vater hat
der nichts versteht
und der insgeheim haßt
was man tut

DOKTOR
Es eilt
Frau Vargo
Königin markiert eine Koloratur
In den heutigen Opernhäusern
ist andauernd
Katastrophenstimmung
in den Theatern insgesamt
funktioniert nichts
schnell Frau Vargo

die Drei Damen
sind schon auf der Bühne

KÖNIGIN

Die Drei Damen
die Drei Damen

VATER

Die Drei Damen
sind schon auf der Bühne
mein Kind

FRAU VARGO *seufzt*

So

DOKTOR

Im letzten Moment

VATER

Im letzten Moment

FRAU VARGO

Jetzt kann nichts mehr
zerreißen
gnädige Frau

DOKTOR

Konzentration
nichts als Konzentration
Konzentration
ist das wichtigste
Königin markiert eine Koloratur
Der Korrepetitor müßte die Nachmittagsstunde
vorverlegen
Königin markiert eine Koloratur
Dann fragt es sich
ob
Königin markiert eine Koloratur

FRAU VARGO *zur Königin*

Heben Sie den Arm
damit Sie beruhigt sind
Königin markiert eine Koloratur und hebt zuerst den rechten, dann den linken Arm

DOKTOR

Sehen Sie
nichts zerreißt
jetzt ist alles fest
die Frau Vargo

hat alles so fest als möglich
angenäht
ich habe ja beobachtet
wie fest sie die Nähte zugenäht hat

VATER

Die Drei Damen
sind schon auf der Bühne

DOKTOR

Tatsächlich ist die Schlange schon erlegt
Königin markiert eine Koloratur
Diese unangenehme Tenorstimme
ein ganz und gar unerträglicher Tamino
Königin markiert eine Koloratur
ein ganz und gar unerträglicher Tenor
und ein ganz und gar unerträglicher Dirigent
Königin steht auf und tritt vor und hebt so weit als möglich den Kopf
und die bedeutendste Oper
in der Operngeschichte
Königin will zur Tür

VATER

Die Krone
die Krone nicht vergessen

FRAU VARGO *erschrocken*

Die Krone
natürlich die Krone
nimmt die Krone vom Kleiderständer herunter und setzt sie der Königin auf

DOKTOR *zur Vargo*

Befestigen Sie sie so
daß sie nicht herunterfallen kann
Frau Vargo befestigt die Krone und bindet der Königin den Gürtel um
Es ist schon vorgekommen
daß eine Königin der Nacht
die Krone verloren hat

VATER

Mein schönes Kind
Königin mit Frau Vargo ab

DOKTOR

Stellen Sie sich vor

wenn auf der Bühne
wenn mitten auf der Bühne geehrter Herr
das Kostüm Ihrer Tochter
unter dem Arm zerreißt
zuerst unter dem rechten
und dann unter dem linken
zweifellos eine Katastrophe
dieses probeweise Aufheben der Arme
halte ich für eine
unbedingte Notwendigkeit
Vater dreht den Lautsprecher noch lauter auf
In dem
das man haßt
agieren zu müssen
weil man Talent
unter Umständen Genie hat
geehrter Herr
oder weil man dazu
von allen möglichen Umständen
beispielsweise vom eigenen Vater
gezwungen ist
ist fürchterlich
jetzt Rezitativ »O zittre nicht, mein lieber Sohn« aus dem Lautsprecher
Das Theater
insbesondere die Oper
geehrter Herr
ist die Hölle
Arie aus dem Lautsprecher
Doktor und Vater bis zum Ende der Arie unbeweglich

Vorhang

Bei den Drei Husaren

Königin der Nacht, Vater, Doktor an einem runden Tisch
Zwei Serviertische mit Lampen
Winter im Hintergrund

DOKTOR

Eine ausgezeichnete Vorstellung
Die Darstellungsweise
exzellent
Abgesehen vom Dirigenten
Diese Gefühllosigkeit
der Partitur gegenüber
Künstlichkeit
Königin winkt Winter heran
Erstaunlich
die Reaktionsunfähigkeit
des Publikums
Phantasiearmut
Geradezu lähmende Dummheit
Königin zu dem hinter ihr stehenden Winter etwas, das man nicht verstehen kann. Winter ab
Falsche Einsätze
Einen Augenblick Angst
ständig Angst
tatsächlich
ununterbrochen Angst
Wie in Coventgarden
Wie in Coventgarden
Wie man eine Inszenierung
auf unerträgliche Weise
zerrütten kann
keine Exaktheit
geehrter Herr
Vorzüglichkeit der Darsteller
der Sänger
aber keine Exaktheit
Es nützt nichts
es nützt durchaus nichts

KÖNIGIN *zum Vater*

Du hörst

du siehst nicht
aber du hörst

DOKTOR

Und er hört
mit einer unglaublichen Sicherheit
alles
das Unbedeutendste
Wer nichts sieht
hört unglaublich

VATER

Die heutige Vorstellung
war um zehn Minuten kürzer
als die Premiere

DOKTOR

Diese fortwährende Angst
glauben Sie mir
ausgezeichnete Plätze
Natürlich
an Fritz Busch
nein

KÖNIGIN

Jedesmal denke ich
es ist das letztemal
daß ich aushalte
daß ich durchhalte
noch einmal
und noch einmal
und noch einmal
auf einmal nicht mehr
niemehr

Winter mit einer Flasche Wein herein, zum Doktor, schenkt ihm einen Schluck ein, dann der Königin, dann dem Vater, dann das ganze Glas dem Doktor, ab

DOKTOR

Was wir vermissen
ist die Präzision
die Exaktheit
die Rücksichtslosigkeit
die äußerste Künstlichkeit
wir vermissen das äußerste Künstliche
wie die Partitur

aber was wir lesen
in den Zeitungen
ist von einer erschreckenden Einfalt
wie
was einer nicht studiert hat
und also nicht kapiert hat
beschreibt
diese Unverschämtheit
geehrter Herr
Winter herein mit Speisen, die er serviert
Reduktion
geehrter Herr
Kargheit
Künstlichkeit
zu Winter
Wenn Sie Winter
begriffen haben
daß alles
das Bedenklichste ist
daß man sich auf nichts
verlassen kann
daß alles ein Grund
zu Mißtrauen
und zu Verachtung ist
Wenn Sie mit offenen Augen
agieren
und eine rücksichtslose Sektion machen
die Gegenwart
zu einem philosophischen Zustand

WINTER *zur Königin*
Ein ganz außerordentlicher Erfolg
gnädige Frau
Die Zeitungen

DOKTOR *dazwischen*
Lüge Winter
alles Lüge Winter
Organe
der Unzuständigkeit
jede ein Maul
das ununterbrochen
Gemeinheit

Niedertracht
erbricht
zu Winter
Sie wissen
Gevrey Chambertin
nicht zu kalt
nicht zu warm
zur Königin
andererseits eine solche Öde
ohne Zeitungen
zu Winter
bringen Sie dem gnädigen Herrn
das Weißbrot
gebäht
Winter ab
Die Luft
ist in der Oper
zum schneiden

KÖNIGIN
Ich habe immer Angst
daß der Eiserne Vorhang
herunterfällt

DOKTOR
Ihr alter Traum
daß Sie vom Eisernen Vorhang
zerquetscht werden
Winter mit dem Weißbrot herein
Doktor zu Winter
Hören Sie
die gnädige Frau
hat noch immer Angst
daß sie vom Eisernen Vorhang
zerquetscht wird
Sie erinnern sich

WINTER *serviert dem Vater das Weißbrot*
Davon hat die gnädige Frau
immer gesprochen

DOKTOR
In der Metropolitanoper
ist tatsächlich
während der Vorstellung

der Eiserne Vorhang heruntergefallen
aber es ist niemand verletzt worden
Winter ab
ich glaube
während einer Vorstellung
von Fidelio

KÖNIGIN
Mit Kirsten

DOKTOR
Mit Kirsten Flagstad

VATER
Vor zwölf Jahren

DOKTOR
Eine Vorstellung
die Fritz Busch dirigiert hat

VATER
Der für Bruno Walter
eingesprungen ist

DOKTOR
Tatsächlich
ich erinnere mich
Busch ist für Walter
eingesprungen

KÖNIGIN *ruft*
Winter
Winter tritt auf
Bringen Sie Mineralwasser
Winter
Winter ab
jedesmal sage ich
das letztemal
absagen
nicht mehr auftreten
Schluß machen
aus

DOKTOR
Wenn es sich darum handelt
auf dem Höhepunkt
zurückzutreten
Schluß zu machen
auf dem Höhepunkt

der Vitalität
der Kunst
des Ekels vor der Kunst
lacht
Der Zeitpunkt
ist noch nicht da
Winter mit Mineralwasser herein

KÖNIGIN *zu Winter*
Wenn ich vertrauen könnte
aber es ist kein Mensch
dem ich vertraue
vertrauensselig
das ist abgeschlossen
vorbei
zu Winter, der ihr Mineralwasser einschenkt
Daß das Mineralwasser ist
das glaube ich
daß das Mineralwasser ist
Winter
sonst nichts
sonst glaube ich nichts
überhaupt nichts
schaut Winter ins Gesicht
gar nichts
nur
daß das
was Sie mir jetzt einschenken
Mineralwasser ist
Winter ab

DOKTOR
Der Erblindete ermüdet
naturgemäß
rascher
und intensiver
als der andere
Aber die Plumpheit der Menge
ist eine Tatsache
Kein Mensch
der mit einer größeren
Intensität
zur Königin

Zeuge Ihrer Kunst ist

KÖNIGIN

Dann
nach der Vorstellung
wenn alles vorbei ist
dieser grenzenlose Appetit

DOKTOR

Wenn es sich um ein mit Recht
so berühmtes Lokal
wie die Drei Husaren handelt

KÖNIGIN *zu dem unsichtbaren Winter, rufend*

Haben Sie gehört Winter
Wenn es sich um ein so berühmtes
mit Recht so berühmtes Lokal
wie die Drei Husaren handelt

DOKTOR

Es ist kein Essen
es ist Extravaganz

KÖNIGIN

Diese Bemerkung ist
für Sie bezeichnend Doktor

DOKTOR

Die klare Suppe
und ein philosophischer Gegenstand
Das Beefsteak tatar
und
der Gedanke an Selbstvernichtung
beispielsweise

KÖNIGIN

Die Schwierigkeit
unter ganz anderen Verhältnissen
immer exakt zu singen
die gleiche Partie
exakt zu singen

DOKTOR

Temperaturschwankungen
Bewußtseinsschwankungen
natürlich

KÖNIGIN

Bei kaltem Wetter
anstrengender

oder nicht so anstrengend
wie bei warmem
in Paris anstrengender
als in Buenos Aires
oder umgekehrt

DOKTOR
Oder umgekehrt

VATER
Meine Tochter
beherrscht
die Schwankungen
in der Natur

DOKTOR
Ein Schritt zuviel
oder ein zu großer Schritt
eine Unachtsamkeit
lächerlichster Natur
eine Unaufmerksamkeit des Partners
und alles fällt auseinander
geehrter Herr

VATER
Sie stellt sich
auf die verrückteste Situation ein

DOKTOR
Einmal ist es
ein italienischer
einmal ein spanischer
einmal ein englischer
einmal ein deutscher Dirigent
lacht

VATER
Sie hat sich zur Spezialistin
entwickelt

DOKTOR
Spezialistin

VATER
Mit der Angst
und mit der Ungeheuerlichkeit
mit der Geläufigkeit
und mit der Unsicherheit
und mit der Rücksichtslosigkeit

vergrößert sich die Gage

DOKTOR

Natürlich
vergrößert sich die Gage

VATER

Aber jetzt
machen sie die Villen die vielen Häuser
unglücklich

DOKTOR

Was man will
einerseits ist
was man dann gar nicht will
Doktor und Vater lachen

KÖNIGIN

Bei den Drei Husaren
muß man unbedingt
Zwiebelrostbraten oder
ein Beefsteak tatar essen

DOKTOR

Zwiebelrostbraten oder
ein Beefsteak tatar

KÖNIGIN

Es sich selbst
zusammenstellen
selbst mischen/zerquetschen
selbst
Dafür hat Winter
Verständnis
ruft zu Winter hinaus
Nicht wahr Winter
dafür haben Sie
Verständnis

DOKTOR

Ein verläßlicher
nie aus der Rolle fallender Mann

VATER

Auch Skorpion
wie ich

KÖNIGIN

Mein Vater sitzt immer
in der zwölften Reihe

in der Mitte der zwölften Reihe
er sitzt immer
auf dem gleichen Platz

VATER

In der zwölften Reihe
höre ich am besten

KÖNIGIN

Links und rechts von ihm
sitzt niemand
für Arme und Hände
braucht er
die zwei Plätze neben sich
lacht

DOKTOR

Ein solcher Mensch
wie Ihr Herr Vater
hat ein ungemein ausgebildetes Gehör

KÖNIGIN

Er hört alles

DOKTOR

Naturgemäß

KÖNIGIN

Eine nicht exakte Koloratur
schmerzt ihn tagelang
dann spricht er nichts
schweigt

DOKTOR

Wenn man sein ganzes Vermögen
in eine solche Stimme gesteckt hat
und alles
in Erfüllung gegangen ist

KÖNIGIN

Er hat sich immer gewünscht
daß ich in Coventgarden
die Königin der Nacht singe
und jetzt habe ich schon zwanzigmal
in Coventgarden gesungen

VATER

Zwanzigmal

DOKTOR

Wenn wir etwas erreicht haben

und sei es das Höchste
sehen wir
daß es nichts ist

VATER

Nichts
nichts

DOKTOR

Am Ende
nichts
Es ist eine Tortur
geehrter Herr
und die Intelligenz
eine furchtbare

KÖNIGIN

Seit mein Vater
die Binden hat
habe ich keine so große Angst mehr
um ihn

DOKTOR

Die Gesellschaft
ist die rücksichtsloseste
zeigt ein Mensch eine Schwäche
wird diese Schwäche
ausgenützt
darauf beruht alles
zur Königin
Wenn Sie im Park
hin und her gehen
vor der Vorstellung
denken Sie währenddessen nicht
daß Sie einmal
versagen könnten
daß Ihnen plötzlich
die Koloratur
nicht gelingt
Wenn Sie in die Oper hineingehen
daß Sie einen Skandal entfesseln
indem Sie auf einmal
Ihre Kunst
nicht mehr beherrschen
Die Künstler existieren

glaube ich
in ständiger Angst
vor dem augenblicklichen Verlust
Ihrer Künstlerschaft
ein Sänger
daß er plötzlich nicht mehr singen kann
ein Schauspieler
daß er auf einmal
den Text verliert etcetera
zweifellos hätte ich selbst
fortwährend diese Angst
und wäre denkbar ungeeignet
für die Ausübung einer Kunst
Die Wissenschaft
ist
ist sie einem bewußt
beruhigend
die Medizin
kennt den Angstbegriff
überhaupt nicht
zum Vater
Darf ich Ihnen
einschenken
geehrter Herr
schenkt dem Vater ein
Die Medizin
Aber was erklären
wenn doch überhaupt nichts
erklärt werden kann
wenn doch überhaupt

KÖNIGIN

Vor der Vorstellung
gehe ich natürlich
meiner Person aus dem Weg
ich lenke mich ab
ich horche
ich höre
Ablenkung

DOKTOR

Aber natürlich
ist Ablenkung unmöglich

KÖNIGIN *schaut auf den Vater*
Natürlich
gehe ich ihm aus dem Weg
ich entziehe mich ihm einfach
habe ich mich ihm entzogen
beruhige ich mich
zum Vater
Es ist alles vorbereitet
du gehst in die Berge
ich will die Tournee allein machen
zum Doktor
Ist es etwas Wichtiges
hört er nicht
plötzlich verliert er auch
das Gehör
ruft plötzlich
Winter
Winter tritt auf

KÖNIGIN
Ein Telegramm Winter
notieren Sie
Winter nimmt Bleistift und Papier
Königliche Oper Stockholm
Königliche Oper Stockholm
Winter notiert
haben Sie
Winter nickt
Königliche Oper Stockholm
Wegen plötzlicher
wegen plötzlicher
zum Doktor
hören Sie Doktor
Wegen schwerer plötzlicher
zu Winter
wegen plötzlicher schwerer Erkrankung
Einhaltung der Verpflichtung
Einhaltung der Verpflichtung
zu Winter
haben Sie
zum Doktor
Hören Sie Doktor

zu Winter
Einhaltung der Verpflichtung unmöglich
Bedaure Absage außerordentlich etcetera
Das sofort
gleich
jetzt
Winter ab

DOKTOR
Aber Sie sind doch

KÖNIGIN
Überhaupt nicht krank
wollen Sie sagen
natürlich
ich bin überhaupt nicht krank
nicht im geringsten
lacht
aber ich fahre nicht nach Stockholm
nicht nach Stockholm
nicht nach Stockholm
plötzlich
und nicht nach Kopenhagen
auch nicht nach Kopenhagen
ruft
Winter
Winter tritt auf
schicken Sie auch nach Kopenhagen
ein Telegramm
notieren Sie
Winter notiert
Königliche Oper Kopenhagen
Wegen plötzlicher schwerer Erkrankung
Einhaltung der Verpflichtung unmöglich
bedaure Absage außerordentlich etcetera
beide Telegramme sofort
Winter ab
zum Doktor
Ich fahre mit meinem Vater
in die Berge
In die Berge Doktor
keine Koloratur
nichts

Ich weiß daß mein Vater
den unangenehmen Geruch der Leute
die neben ihm in der Oper sitzen
nicht verträgt
er haßt die Ausdünstung der Opernbesucher
sie betäubt ihn
und in so hohem Maße
glaube ich
wegen des Alkoholkonsums

DOKTOR

Naturgemäß
empfindet ein Alkoholiker
die Ausdünstung seiner Mitmenschen
vor allem im Theater
oder in der Oper
als etwas Entsetzliches

KÖNIGIN

Ich habe noch niemals
eine Vorstellung abgesagt
aber auf einmal

DOKTOR

Während es zum erstenmal
die Lüge ist
ist es auf einmal
möglicherweise
eine Todeskrankheit
Königin und Doktor lachen

VATER

Widerspruch duldet sie nicht
sie duldet keinen Widerspruch

DOKTOR

Man muß die Kraft haben
abzusagen
etwas abzubrechen
das zur Gewohnheit geworden ist
eine Vorstellung absagen
oder

KÖNIGIN

Oder

DOKTOR

Oder mitten in der Vorstellung

beispielsweise mitten in der Rachearie
aufhören zu singen
die Arme fallen lassen
das Orchester ignorieren
die Mitspieler ignorieren
das Publikum ignorieren
alles ignorieren
dastehen
und nichts tun
und alles anstarren
anstarren verstehen Sie
plötzlich die Zunge herausstrecken
Königin und Doktor lachen
Zuerst förmlich absagen
mittels eines Telegramms
aber dann
plötzlich
urplötzlich
beispielsweise in der Metropolitanoper
oder in Coventgarden
an der wirkungsvollsten Stelle natürlich
einen Skandal entfesseln
eine Vorstellung platzen lassen
in die Hände klatschen
und die Zunge herausstrecken
und lachend abgehen
lachend
lachend verstehen Sie
lachend
Königin und Doktor lachen laut

VATER

Meine Tochter ist einzigartig
sie singt
die kompliziertesten und die schönsten
Koloraturen der Welt
sie ist mit Recht berühmt

DOKTOR

Daß heißt ja nicht
daß man sich nicht einmal
einen Spaß erlauben kann
Königin und Doktor lachen

Ihre Tochter
ist die berühmteste
neben ihr
keine zweite

KÖNIGIN

Plötzlich
lacht
dem Publikum
lacht
nein
schaut auf den Vater
nicht vor ihm
vor ihm nicht

DOKTOR

Aber sagen Sie doch
was Sie sagen wollen
Ihr Herr Vater
akzeptiert doch
was Sie tun
wo wir doch alle jetzt schon
in ausgelassener Stimmung sind

KÖNIGIN

In ausgelassener Stimmung
ruft
Winter
Winter
Winter tritt auf
Winter
was tun
wenn man etwas sagen will
und nicht sagen kann
weil einem wenigstens einer
leid tut
schaut auf den Vater
Winter
Winter kann keine Antwort geben
Dem Publikum
ins Gesicht spucken
lacht laut auf
Winter
bringen Sie jetzt

Sie wissen
Winter ab
Koloraturmaschine
Koloraturmaschine
hören Sie Doktor
Koloraturmaschine
Doktor lacht
Rücksicht
wo überhaupt keine Veranlassung dazu ist
keinerlei
davon träume ich
das sehe ich immer
mitten auf dem Höhepunkt
einen Skandal entfesseln
das ist ungeheuerlich
aber natürlich Doktor
eine Perversität
aber eine Natürlichkeit
oder plötzlich
auf dem Höhepunkt
verrückt werden
schuld sind die Eltern
nicht vertrauenerweckend Doktor
hineingestoßen worden von den Eltern
in eine einzige
ungeheuerliche Betrugsaffäre
Wenn wir uns zum Opfer
unserer Disziplin gemacht haben
total Opfer sind Doktor
Die Künstlerin auf dem Höhepunkt ihrer Kunst
ich weiß
Was für ein Stakkato
was für ein Stakkato

VATER

Sie hätten meine Tochter
in Florenz hören sollen
Die Zeitungen schrieben
jedesmal wenn sie auftritt
ist ihre Kunst
eine noch perfektere Kunst
die höchsten Ansprüche

Doktor
die allerhöchsten Ansprüche
darum muß sich auch alles und jedes
immer mehr anstrengen
in so hohem Maße anstrengen Doktor
vor allem die Künstler
wie sie sich niemals vorher
angestrengt haben
die Künstler sind heute
auf die Probe gestellt
wie noch nie
jedenfalls darf keine Rücksicht
genommen werden
die Künstler nehmen keine Rücksicht
auf das Publikum
umgekehrt nimmt das Publikum
keine Rücksicht
Wer am Ziel ist
ist naturgemäß
todunglücklich

DOKTOR *zum Vater*
Weil Sie nichts
oder beinahe nichts
sehen
hören Sie um so besser
geehrter Herr
ein Mensch der schlecht sieht
hört gut
wie der der schlecht hört
unter Umständen geehrter Herr
gut sieht
aber gute Ohren
können natürlich niemals
schlechte Augen ersetzen
oder umgekehrt
Königin lacht
Wenn Sie nur Ihre Tochter
sehen könnten
es ist ein schöner Anblick
geehrter Herr
Wenn es sich darum handelt

alle diese Leute
die sie haßt
von Ihrer Tochter fernzuhalten
die Menschenmenge wird immer beängstigender
wir gehen ja schon die längste Zeit
nurmehr noch durch die Hintertüren
gehen wir
gehen wir nicht allein
alles was wir tun ist
unter Kontrolle
nur wenn wir uns in ein Séparée flüchten
in die Drei Husaren zum Beispiel
und hinter verschlossenen Türen sind
aber wir werden immer angestarrt geehrter Herr
Sie selbst bemerken diesen fürchterlichsten aller Zustände
möglicherweise nicht mit einer solchen Deutlichkeit
wir erfinden Schliche
aber das Publikum holt uns immer wieder ein
atmen wir auf geehrter Herr
überrascht uns das Publikum
schon an der nächsten Ecke
Die Stimme Ihrer Tochter
ist heute die vollkommenste gewesen
Hören Sie geehrter Herr
vor allem dürfen wir den Brunettimeißel
nicht vergessen
das Doppelrachiotom
zur Königin
Ich habe Ihrem Herrn Vater versprochen
bei den Drei Husaren
in meiner Erklärung der Leichenöffnung
fortzufahren
zum Vater
nicht zu vergessen
die Durazange
Königin hustet
Vor allem muß sich Ihre Tochter
vor Verkühlungen in acht nehmen
immer an der Grenze
aller Krankheiten
ist der menschliche Körper

in ständiger Furcht
in Todesangst
Königin hustet
Wir wachen auf
und denken
wir sind verloren
ein Schmerz
eine schmerzhafte Bewegung
geehrter Herr
und wir glauben
wir sind am Ende
zum Vater
es ist ein Schritt
Winter mit einer Flasche Champagner herein
der Wunsch
tot zu sein
deshalb die Angst
vor dem Ende
Winter öffnet die Flasche, Knall
Der Zeitpunkt
ist immer der günstigste
der Zeitpunkt ist
immer günstig
Winter schenkt den Champagner ein
Sind wir unter Schauspielern
oder Sängern
geehrter Herr
sind wir unter Intriganten
Es handelt sich darum
ein Geschöpf wie Ihre Tochter
ein solches Kunstgeschöpf
vor der Kunstwelt
in Schutz zu nehmen
Königin hustet
zu Winter
Wie spät ist es denn Winter

WINTER
Halb zwei

DOKTOR
Halb zwei

KÖNIGIN

Halb zwei

Winter ab

DOKTOR

Intensität
Geistesrücksichtslosigkeit
in jedem Fall
ein tödlicher Prozeß
geehrter Herr

alle trinken den Champagner

Wenn wir die Zustände
und Umstände
die längste Zeit empfinden
und plötzlich tot umfallen

VATER

Tot umfallen

DOKTOR

Wir sehen einen theatralischen Künstler
wir hören eine geschulte Stimme
eine Koloratursopranistin
geehrter Herr
auf einem Misthaufen
geehrter Herr
die Kultur ist ein Misthaufen
auf welchem die Theatralischen
und die Musikalischen
gedeihen
aber es ist ein Misthaufen
geehrter Herr

schenkt allen aus der Champagnerflasche ein

Man kann diesen unnatürlichen Zustand
den wir Existenz nennen
oder die menschliche Natur
hinausziehen
künstlich
geehrter Herr
aber dazu besteht keine Notwendigkeit
andererseits will ich meine wissenschaftliche Arbeit
fortführen
die Schrift an welcher ich seit zwanzig Jahren arbeite
abschließen eines Tages

dann ist zweifellos alles zerrissen
die Existenz Ihrer Tochter
Königin hustet
ist gerade diesem
mich vollkommen in Anspruch nehmenden Werk
einer zwölfbändigen Arbeit
über den menschlichen Körper
geehrter Herr
im höchsten Grade nützlich
wahrscheinlich ist es allein die Existenz Ihrer Tochter
die mich die vor Jahren
bevor ich Ihre Tochter
und Sie geehrter Herr kennengelernt habe
schon aufgegebene Schrift
schließlich und endlich doch abschließen lassen wird
Königin hustet
Unsere Handlungsweise ist naturgemäß
eine dilettantische
andererseits zerfällt alles
verschlimmert sich alles
um Ihre Tochter herum
die äußerste Konsequenz duldet nichts
neben sich
gerade jetzt singt sie so
wie noch keine vorher
gesungen hat
Hektik
geehrter Herr
nichts als Hektik
und die mit dieser Hektik
zusammenhängende Verrücktheit
Merken Sie sich
geehrter Herr
man eröffnet den Herzbeutel
indem man nahe der Herzspitze
mit Pinzette und Darmschere
oder mit dem Hirnmesser
einen kleinen Einschnitt macht
den man
V-förmig
geehrter Herr

nach beiden Seiten verlängert
Man achte auf den Inhalt
der Pericardialhöhle
Königin hustet
Normalerweise findet man
eine geringe Menge
trüber Flüssigkeit
pathologisch kann man
seröses oder eitriges Exsudat
Blut
oder Transsudat
Hydropericard
geehrter Herr finden
bei Concretio muß man das Herz
mit dem adhärierenden Herzbeutel sezieren
Als Anhaltspunkt
der Vergleich
mit der rechten Faust
Also der Herzschnitt
geehrter Herr
man faßt die Vorderwand
der rechten Kammer
zieht das Herz
etwas nach abwärts
und bekommt dadurch
eine gerade Linie
Winter erscheint und bleibt im Hintergrund stehen
Der sogenannte Rokitanskyschnitt
dient zur Eröffnung
des linken Ventrikels
geehrter Herr
man faßt den
weiter vorn gelegenen Zipfel
zwischen drittem und viertem Finger
der linken Hand
und fährt mit Zeigefinger und Daumen
in die Öffnung des linken Ventrikels hinein
und zieht das ganze so fixierte Herz
nach abwärts
Die Aorta liegt
unter dem Zipfel unmittelbar

im Septum
Die Rokitanskysche Schnittführung
hat den Vorteil
die Aorta pulmonalis zu erhalten
es wird aber das Septum membranaceum und damit
auch das Reizleitungssystem zerstört
Königin winkt Winter heran. Winter hinter ihr. Königin flüstert ihm etwas ins Ohr. Winter ab
Was die Herausnahme
der Zunge
und des Rachens betrifft
man entfernt den Holzklotz
wodurch der Hals
überstreckt wird
man präpariert zunächst
mit dem Knorpelmesser
das Unterhautzellgewebe
am Hals weitgehend frei
fährt dann mit dem Zungenmesser
unterhalb der Haut ein

VATER
Unterhalb der Haut ein

DOKTOR
Legt es flach auf den Hals
und führt es vorsichtig

VATER
Vorsichtig
Königin hustet

DOKTOR
In der Medianebene vor
bis man auf den Unterkieferknochen stößt
Königin hustet
Dann hebt man das Messer
in seinem Griff
und geht in die Mundhöhle
mit einem deutlich fühlbaren Ruck hinein
geehrter Herr
und durchtrennt den Mundhöhlenboden
entlang des horizontalen
Unterkieferastes
er ist ein Leitgebilde

geehrter Herr
Königin hustet
wohlgemerkt
ein Leitgebilde

VATER
Ein Leitgebilde

DOKTOR
Ebenso geht man
auf der anderen Seite vor
zur Königin
Ihr Herr Vater hat zweifellos das Talent
zu einem hervorragenden Praktiker gehabt
manche Menschen leiden
ihr Leben darunter
daß sie ein vehement angefangenes Studium
plötzlich
abbrechen haben müssen
Zu einem guten Anatomen
gehört eine gesunde Physis
Dann zieht man die Haut des Halses
nach außen und oben
Man faßt die Zunge
mit dem zweiten und vierten Finger
und zieht sie mit Daumen und Zeigefinger
nach abwärts
Winter kommt mit einer Champagnerflasche herein
Die Halsgebilde hängen jetzt nur mehr
an der hinteren Pharynxwand
die jetzt durchtrennt werden muß
Winter öffnet die Champagnerflasche
Man legt zu diesem Zweck das Zungenmesser
flach an
tastet
oder sieht
geehrter Herr
tastet
oder sieht
die Grenze zwischen hartem
und weichem Gaumen
Knall
stößt durch

und dringt bis an die hintere Pharynxwand vor
Königin hustet. Winter schenkt allen Champagner ein
Jetzt führt man den Schnitt
bogenförmig nach außen
und bis an die Wirbelsäule
dann durchtrennt man die Fascia praevertebralis
wobei man die Schneide senkrecht
auf die Wirbelsäule hält
und durchtrennt zuerst links
dann rechts
zu Winter
Winter
das wird spät
wenn Sie uns noch eine Flasche einschenken

WINTER
Die gnädige Frau

DOKTOR
Gut gut Winter
Winter ab
Unter ständigem Zug
an der Zunge
durch den man die Halseingeweide
von der Wirbelsäule abhebt
Königin hustet

VATER
Von der Wirbelsäule abhebt

DOKTOR
Jetzt schneidet man mit der Darmschere
paramedian
oben
den Rachenring durch
und geht in der Medianebene
in den Oesophagus ein
dabei hält man die Schere
etwas geneigt
und dreht sie erst drinnen um
geehrter Herr
und durchschneidet den Oesophagus
in der Medianlinie
Jetzt kann man die ganzen Halsorgane
im Zusammenhang

herausnehmen
Bei lymphatischer Leukämie
können die Tonsillen
mächtig entwickelt sein
zur Königin
Wäre Ihr Herr Vater
nicht erkrankt
tatsächlich viel zu früh
erkrankt
und dann auch noch
beinahe zur Gänze erblindet
hätten wir eine medizinische Kapazität
an unserem Tisch

VATER
Eine medizinische Kapazität

DOKTOR
Ein Kopf wie der Kopf
Ihres Herrn Vaters
ist im Grunde
ein durch und durch medizinischer Kopf
Und sehen Sie selbst
wie groß
sein Interesse
an der Medizin ist
obwohl er doch alles weiß
leistet er sich immer wieder
eine Wiederholung
der Wiederholung
spezieller Vorgänge
auf dem Gebiete der Medizin
Glauben Sie mir
unter den Ärzten
findet sich
ein solches ununterbrochenes Interesse
nicht
hier haben wir es mit nichts
als mit Arroganz zu tun
zum Vater
Bevor man
an die Sektion der Bauchorgane schreitet
sieht man nach

ob nicht eventuell gröbere Veränderungen
im Situs der Bauchorgane vorliegen
wie zum Beispiel Adhäsionen
zwischen Leber und Darm
Königin hustet

VATER
Zwischen Leber und Darm
Winter herein und geht zur Lampe auf dem kleinen Serviertisch rechts und dreht das Licht ab und verschwindet

DOKTOR
Oder zwischen Gallenblase
und Darmschlingen
vor allem ist aber das Verhalten des großen Netzes wichtig
das bei entzündlichen Prozessen
im Bereiche des Magens
Darmes
der Gallenblase
des Uterus etcetera
in der Richtung des Prozesses verzogen ist
schon ein Fingerzeig
gewaltige Ausdehnung des Magens
bei arteriomesenteriellem Darmverschluß
Königin hustet
die so weit gehen kann
daß dabei der Magen
bis zur Symphyse herabreicht
Mächtige Ausweitung des Dickdarms
Megacolon
Hirschsprungsche Erkrankung
geehrter Herr
Recessus duodeno jejunalis
Recessus intersigmoides
Recessus retrocoecalis
Recessus ileocoecalis
Recessus paracolicus etcetera
Königin hustet

VATER
Recessus paracolicus
Königin hustet. Winter herein und dreht die Lampe auf dem Serviertisch im Hintergrund ab und verschwindet. Es wird langsam finster

DOKTOR

Zur Sektion der Leber
hören Sie
geehrter Herr
normalerweise ist die Oberfläche der Leber
glatt
Veränderungen der Oberfläche
können sein
Zahnsche Furchen
Schnürfurchen
Bei Hepar lobatum findet man Furchen
narbige Einziehungen
geehrter Herr
Postpaketform
der Leber
in der Tiefe der Furchen
verkäste Gummen
Höckerung etcetera

VATER

Verkäste Gummen
Postpaketform

DOKTOR

Postpaketform
verkäste Gummen
graurot
bei parenchymatöser Degeneration
dunkelbraun
bei seniler Atrophie
hellgelb bei Fettleber
grün bei Ikterus
muskatnußähnlich bei Stauung
Man nimmt dazu das Hirnmesser
und macht den Hauptschnitt
das heißt man schneidet
an der Stelle der stärksten Wölbung
der Leber
sowohl in den linken
als auch in den rechten Lappen ein
Königin hustet
aber nicht auseinanderschneiden

VATER
Nicht auseinanderschneiden
KÖNIGIN *richtet dem Vater die Binden*
Diese Binden
sind eine Beruhigung
DOKTOR
Tatsächlich
erlaubt das Gesetz nicht
daß einer beiderseits Binden trägt
wenn er nicht völlig erblindet ist
und Ihr Herr Vater ist nicht völlig erblindet
Königin hustet
VATER
Nicht auseinanderschneiden
DOKTOR
Nicht auseinanderschneiden
Die Struktur der Leber
entsteht immer dadurch
daß eine Differenz
zwischen dem Zentrum
und der Peripherie des Acinus besteht
VATER
Und die gewisse Sektion
DOKTOR
Man spreizt die Beine der Leiche
geehrter Herr
nimmt das Knorpelmesser
zieht den Penis mit der linken Hand
etwas nach abwärts
wodurch die Haut der Symphyse angespannt wird
VATER
Angespannt wird
DOKTOR
Und schneidet mit der rechten Hand
von der Symphyse beginnend
links außen bogenförmig
bogenförmig
geehrter Herr
herunter
bis in die Höhe des Mastdarms
und Anus

und zieht Penis und Scrotum
nach links
Königin hustet
Den gleichen Schnitt
auf der rechten Seite
mit kurzen sägenden Zügen
das lockere Zellgewebe
durchtrennt
bis an das freie Ende der Symphyse
sticht dort mit dem Knorpelmesser ein
und durchschneidet bogenförmig
das Bindegewebe des Beckenbodens
In der Mittellinie angelangt
zieht man die gleiche Trennung
auch auf der anderen Seite vor
nicht in einem Schnitt
Königin hustet
um nicht die Urethra
nahe der Symphyse
zu verletzen
durch die so entstandene Öffnung
werden Penis
und Scrotum durchgesteckt
nach oben gezogen
und die beiden bogenförmigen Schnitte
durch einen querziehenden Schnitt verbunden
Das Genitale hängt dann nurmehr
an dem Zellgewebe des Promontoriums
geehrter Herr
von welchem es losgelöst wird
Eine Demonstration
die die größte Sorgfalt erfordert
Was den Magen betrifft
schlägt man die ganzen Dünndarmschlingen
und das Colon transversum nach unten
und betrachtet zunächst den Magen
von außen

KÖNIGIN *zum Vater*
Der Doktor
ist eine Kapazität
in ganz Europa

schätzt man ihn
seine Bücher
und seine Schriften
sind in sämtliche
Sprachen übersetzt
hustet

VATER
Von einer Kapazität
erwartet die Welt
immer etwas
Außerordentliches
es gibt nichts Anstrengenderes
als eine Kapazität zu sein

DOKTOR *zum Vater*
Zeitlebens habe ich mir
eine Aufgabe gewünscht
im Hintergrund
aber meine Natur
ist eine andere

KÖNIGIN
Die ganze Nacht
werde ich wieder
die Koloraturen
nicht aus dem Kopf bringen
die Angst
und die Abneigung
gegen alles
was mit der großen Oper
zusammenhängt

DOKTOR *zum Vater*
Daß alle immer
sind sie intellektuell
oder künstlerisch
die Infamie
zu ihrem Inhalt machen
geehrter Herr
Lange Zeit
gelingt es allerdings
ein Geschöpf wie Ihre Tochter
in Schutz zu nehmen
abzuschirmen

geehrter Herr
Königin hustet
vor einer
schmutzigen Öffentlichkeit
vor ihrer tödlichen
Inkompetenz
Das Theater
insbesondere die Oper
ist nichts
für einen natürlichen Menschen
Königin gähnt
Wenn wir den Schwachsinn
der in dieser Kunstgattung herrscht
geehrter Herr
mit der Gemeinheit
der Zuschauer verrechnen
kommen wir in den Wahnsinn
Königin hustet
und zur Ignoration
geehrter Herr
sind wir zu intelligent
langsam verfinstert sich die Szene
wendet sich dem Vater zu
aber Sie
geehrter Herr
bemerken das nicht
weil Sie unaufhörlich
und schon so lange Zeit
wie ich glaube
ein ganzes Jahrzehnt
oder noch länger
ständig
in solcher Finsternis
wie sie jetzt eintritt
leben
Eine solche Existenz
ist zweifellos
eine kompetente
In solcher Intensität
existieren nicht viele
Das Licht

ist ein Unglück
die Bühne ist vollkommen finster
Wie auf offener Bühne
geehrter Herr
wodurch alles die größte
Unsicherheit ist
Königin plötzlich laut schreiend
Winter
Winter
Winter herein, man sieht ihn aber nicht
Königin nach einer Pause
Haben Sie die Telegramme abgeschickt
die Telegramme nach Stockholm
nach Kopenhagen

WINTER
Natürlich gnädige Frau

DOKTOR
Das ist gut
daß Sie die Telegramme abgeschickt haben
das beruhigt mich
Ich bin beruhigt
ich bin ganz beruhigt

KÖNIGIN *nach einer Pause*
Erschöpfung
nichts als Erschöpfung
Gläser und Flaschen werden auf dem Tisch umgeworfen

Ende

Die Jagdgesellschaft

Für Bruno Ganz

Ich erkundigte mich nach dem Mechanismus
dieser Figuren, und wie es möglich wäre,
die einzelnen Glieder derselben und
ihre Punkte, ohne Myriaden von Fäden
an den Fingern zu haben, so zu regieren,
als es der Rhythmus der Bewegungen
oder der Tanz erfordere.

Kleist

Personen

GENERAL
GENERALIN
ERSTER MINISTER
ZWEITER MINISTER
PRINZ
PRINZESSIN
ANNA, *Köchin*
ASAMER, *Holzknecht*

SCHRIFTSTELLER

Jagdhaus des Generals

Vor der Jagd

Ein großer Kachelofen
Fauteuils, Sessel
Trophäen
Ein Plattenspieler
Ein Spiel Karten auf dem Tisch

SCHRIFTSTELLER *am Fenster*
Fortwährend aufundab gegangen
mit beiden Händen an meinen Schläfen
müssen Sie wissen
ohne das entscheidende Wort
in dem Aphorismus

GENERALIN *am Tisch sitzend, schaut hinaus*
Es schneit

SCHRIFTSTELLER
Durch das ständige Öffnen
und wieder Zumachen des Fensters
war es mir unmöglich
mich zu erwärmen
so daß ich gezwungen gewesen bin
meine Pelzweste anzuziehn
Sie kennen diese Weste
schlägt seine Pelzweste auseinander, wieder zu
meine polnische Weste
Der sofortige Gedanke an Polen natürlich
Drei Tage Krakau
und kein Gespräch
nichts
Generalin nimmt die Spielkarten, als ob sie spielen wollte, Schriftsteller nimmt ihr die Karten weg, die Karten auf den Tisch werfend sagt er
Ich habe Ihnen ja die Skizze der Gobelins geschickt
Das Muffelwild
Ovis musimon
geht zum Fenster
Sie erinnern sich
wie ich in Warschau angekommen bin
tatsächlich sechs oder sieben Schritte vor mir
der heruntergefallene Eiszapfen

tötete plötzlich
ganz plötzlich müssen Sie wissen
die junge Frau
wie sich herausstellte
die Frau eines jungen Agraringenieurs
Die polnischen Jagden sind jetzt sehr beliebt
Wie oft war der General in Polen

GENERALIN
Dreimal

SCHRIFTSTELLER *vom Fenster weg*
Ich liebe das Land
tatsächlich wie kein anderes

GENERALIN
Es schneit
ununterbrochen schneit es
Zuerst kein Schnee
dann schneit es ununterbrochen

SCHRIFTSTELLER
Zuerst glaubte ich
ein warmer
aber es ist ein kalter Winter
klar
und kalt
Fortwährend habe ich gedacht
ich habe ja meine polnische Weste an
diese Weste die ich mir in Krakau gekauft habe

GENERALIN
Und den Lermontow in der Weste

SCHRIFTSTELLER *geht zum Fenster zurück*
Dann erwärmte ich mich naturgemäß
auch im Bett nicht mehr
nimmt EIN HELD UNSERER ZEIT *aus seiner Weste und liest vor:*
Was mich betrifft, so bin ich nur von einer
Sache fest überzeugt, sagte der Arzt.
Und das wäre? fragte ich, weil ich die
Ansicht eines Mannes hören wollte, der bisher
geschwiegen hatte. Daß ich, entgegnete er
früher oder später an einem schönen Morgen
sterben werde.
klappt das Buch wieder zu und steckt es ein

Fortwährend lese ich
wie Sie wissen Lermontow

GENERALIN
Sherry

SCHRIFTSTELLER *schenkt sich ein Glas Sherry ein, auch der Generalin, und geht wieder zum Fenster zurück*
Zwei Stunden Lermontow
und dann wieder zwei Stunden Lermontow

GENERALIN
Oder zwei Stunden Majakowski
und dann wieder zwei Stunden Majakowski

SCHRIFTSTELLER
Oder Puschkin
Auf einmal fiel mir der Aphorismus ein
Die Ruhe macht es wieder gut
Aber ich kam nicht weiter
nur immer Die Ruhe macht es wieder gut
nach einer Pause
Nein die Ruhe macht nichts wieder gut
Aber wieder nicht weiter nicht weiter
Der Aphorismus dachte ich fortwährend Der Aphorismus
Die Ruhe macht es wieder gut
und die Fortsetzung
Nein die Ruhe macht nichts wieder gut
Sondern sondern sondern
verstehen Sie die ganze Zeit
dachte ich
sagte ich mir dann ganz deutlich ganz laut
Sondern sondern sondern
hinundhergehend
immer wieder
machte ich alle Fenster auf
weil ich den Wahnsinn geschlossener Fenster
nicht beherrschte verstehen Sie
Diese Kälte gnädige Frau
und der Gedanke
ersticken zu müssen
und daß es sich um einen Irrtum handelt
Dann ging ich hier herunter
und mischte die Karten
fortwährend mischte ich die Karten

GENERALIN
Die von Ihnen verabscheuten Karten
SCHRIFTSTELLER
Mischte und mischte
so eine Stunde
Dann in meinem Zimmer oben wieder
Die Ruhe macht es wieder gut Die Ruhe
Aber das entscheidende Wort fiel mir nicht ein
Wenn Sie den Kopf mit beiden Händen
zerdrücken wollen
Dann dachte ich wieder daran
selbst einzuheizen
aber ich hatte nicht die Kraft dazu
tatsächlich hatte ich mich in meinem Zimmer eingesperrt
und den Schlüssel abgezogen
Eine große Verunstaltung müssen Sie wissen
ich hatte den Schlüssel abgezogen
und die Fenster aufgemacht
und die Fenster wieder zugemacht
und der Schlüssel war weg
dann suchte ich über eine Stunde lang
den Schlüssel
gleichzeitig dachte ich fortwährend
an den Aphorismus
der Schlüssel einerseits
der Aphorismus andererseits
Was für ein Zustand
Verstehen Sie gnädige Frau wenn man nicht einmal mehr
einen Aphorismus vollständig sagen kann
nicht einmal sagen
so verbrachte ich die ganze Nacht mit dem Gedanken
den Aphorismus nicht mehr zur Gänze sagen zu
können
Durch Lektüre ablenken von dem Aphorismus
habe ich gedacht
fortwährend durch Lektüre ablenken
In der Frühe stand ich
ohne einen Augenblick geschlafen zu haben auf
aber die ganze Zeit
der unvollständige Aphorismus
während ich mich anzog

wusch
anzog
während des Rasierens und Kämmens
diese Quälerei mit den Schuhriemen
Dann aufeinmal während ich auf die Post ging
plötzlich
während ich an etwas ganz anderes gedacht habe
so auf die Post gehend
und so mitten unter allen Leuten auf dem Dorfplatz
mit den Gedanken Unzucht treibend
Unzucht
in dieser kalten Luft
zu dem Bürgermeister der etwas gesagt hatte
etwas sagend
fiel mir der Aphorismus ein
Der Aphorismus lautet korrekt
Die Ruhe macht es wieder gut
Nein die Ruhe macht gar nichts wieder gut
sondern
die günstigere Bewegung
sondern
die günstigere Bewegung
Augenblicklich bin ich erschöpft gewesen
gnädige Frau

GENERALIN

Setzen Sie sich
Schriftsteller setzt sich
Einmal sind Sie aufgeregt
dann beruhigen Sie sich wieder
über eine lange Periode aufgeregt
dann wieder beruhigt

SCHRIFTSTELLER

Etwas Furchtbares ist es
aus der Sprache
aus dem Kopf

GENERALIN

Dann sitzen Sie da
stumpf
stumm
mit herunterhängendem Kopf
Dann ist es das bis an die Grenze des Verrücktwerdens

gehende Schweigen
nichts

SCHRIFTSTELLER
Nichts
Immer wieder nichts

GENERALIN
Und dann kommen Sie auf die Idee
Siebzehnundvier zu spielen
ununterbrochen
tagelang
und reden nichts
und gewinnen
und gewinnen fortwährend
mit erschreckender Sicherheit
Und ich verliere
mit der gleichen
ununterbrochenen
erschreckenden Sicherheit
nimmt die Spielkarten

SCHRIFTSTELLER
Dieses stumpfsinnigste aller Kartenspiele
nimmt der Generalin die Karten aus der Hand und legt sie auf den Tisch
von welchem für mich die größte Faszination ausgeht
allerdings

GENERALIN
Daß ich mich an den Nachmittagen
und an den Abenden
und ganze Nächte
wenn Sie sich Ihrer Arbeit verweigern
zutode mische
lacht und wiederholt
zutode mische

SCHRIFTSTELLER *lachend*
Zutode mische
zutode mische

GENERALIN
Dann
wenn ich vollkommen erschöpft bin

SCHRIFTSTELLER
Apathisch

GENERALIN

Apathisch
erschöpft und apathisch

SCHRIFTSTELLER

Wenn Sie dieses Spiel wie nichts hassen

GENERALIN

Wenn ich vollkommen erschöpft bin
sagen Sie
noch ein Spiel
Und dann immer wieder
noch ein Spiel noch ein Spiel
Sie sagen es drohend
drohend verstehen Sie
alles an Ihnen
in Ihnen
ist drohend
Sie denken gar nicht daran aufzuhören
aufzuhören
weil ich erschöpft bin
wo doch tatsächlich alles in mir
und auch in Ihnen
erschöpft ist
noch eine Partie sagen Sie noch
noch noch noch
wir spielen
wir spielen weiter
wir spielen als ob wir
verrückt werden wollten

SCHRIFTSTELLER

Kein Spiel
von welchem für mich eine größere Faszination ausgeht
und in welchem ich mich
indem ich mich fortwährend errege gnädige Frau
mit einer größeren Sicherheit
beruhige

GENERALIN

Sie quälen mich
indem wir jetzt
nicht spielen
wir spielen nicht jetzt
Sie wollen mich quälen

quälen
quälen
Dann wenn ich Lust habe
zu spielen
spielen Sie nicht
Aber wenn Sie Lust haben zu spielen
spielen wir
dann wird ununterbrochen gespielt
bis zur Bewußtlosigkeit
Spielen wir
eine Partie habe ich gesagt
und Sie wehrten sofort ab
gleich wehrten Sie ab
Ich will spielen
Sie wehren ab

SCHRIFTSTELLER *steht auf, ans Fenster*
Als ob sich ein Zustand
ein innerer Zustand
ein Geisteszustand
durch Kartenspielen
verbessern ließe

GENERALIN
Die Zeit überbrücken
nichts als die Zeit zu überbrücken
schaut hinaus
während es draußen schneit
bis mein Mann kommt

SCHRIFTSTELLER
Dann habe ich
immer die gleichen Kopfschmerzen
immer die gleichen Kopfschmerzen

GENERALIN
Sie lenken auf Ihre Kopfschmerzen ab
Sie redeten plötzlich
wehrten ab
spielen wir sagte ich
spielen wir

SCHRIFTSTELLER
Es ist uns zur Gewohnheit geworden

GENERALIN
Denn wie Sie selbst sagen

ist das Kartenspiel
wie nichts anderes geeignet
den Kopf auszuhalten
nimmt die Karten und legt sie wieder auf den Tisch
Weil ich das Kartenspiel wünschte
spielen Sie nicht
Sie lenkten sofort vom Kartenspiel ab
auf Ihr Kopfweh
von meinem Kopfweh
auf Ihr Kopfweh

SCHRIFTSTELLER
Man kann nicht ununterbrochen spielen
ohne tatsächlich verrückt zu werden
gnädige Frau
schaut hinaus
Es wird finster

GENERALIN
Durch den Wald
plötzlich
finster
Das ist dann
wenn der Wald gefällt ist
vorbei
endgültig

SCHRIFTSTELLER
Das Verschweigen einer Todeskrankheit
ist eine Ungeheuerlichkeit
Asamer von links mit einem Arm voll Hartholz herein, legt im Kachelofen nach

GENERALIN
Diese plötzliche Finsternis
wissen Sie
abrupt

SCHRIFTSTELLER
Ich weiß jetzt alles
über den Borkenkäfer
alles gnädige Frau
Und über die Augenkrankheit
welche als Grauer Star
bezeichnet wird

GENERALIN

Durch diesen ungeheueren Wald
im Hintergrund
abrupt

SCHRIFTSTELLER

Der Graue Star müssen Sie wissen
und der Borkenkäfer
Das Furchtbare
und das Ungeheuerliche

GENERALIN

Dann
wenn alles abgeholzt ist
tritt die Finsternis nicht mehr
abrupt
ein
dann geschieht sie langsam

SCHRIFTSTELLER

Daß sich der General
mit den Ministern
an einen
noch dazu an seinen eigenen Tisch setzt

GENERALIN

Mein Mann tut
das Richtige
zum Asamer
In einer Viertelstunde den Ofen
absperren
ganz anfüllen
und in einer Viertelstunde absperren
Asamer
Jeden Augenblick kann der General kommen
Sind die Betten für die Minister gemacht
ist in den Zimmern eingeheizt
gut einheizen Asamer gut einheizen
zu sich
zwei Monate
ist nicht mehr eingeheizt worden
alles ist kalt
zum Schriftsteller
Es genügt nicht
daß einen Tag

bevor wir kommen
eingeheizt wird
eine ganze Woche
bevor wir kommen
muß eingeheizt werden
die Wände sind kalt
aus den Wänden kommt die Kälte

SCHRIFTSTELLER
Ich weiß alles
über den Borkenkäfer
gnädige Frau
und über den Grauen Star
bin ich besser informiert
als die Augenärzte

GENERALIN *zum Asamer*
Die Wände brauchen eine ganze Woche
bis sie warm sind
aber mein Mann sagt
das sei zu kostspielig
schon eine Woche bevor wir herkommen
einzuheizen

SCHRIFTSTELLER
Der Borkenkäfer
und der Graue Star
damit er den Borkenkäfer nicht sieht
der Generalin direkt ins Gesicht
und die Erkrankung in der Niere
als abrupten
weniger peinlichen
Lebensabschluß gnädige Frau

GENERALIN
Obwohl wir so viel Holz haben *lacht*
so ungeheuer viel Holz
Wenn erst der Wald gefällt ist
werden wir so viel Holz haben
daß es uns erdrückt
und das Merkwürdige ist
nicht i c h habe an den Borkenkäfer gedacht
mein Mann
nicht i c h
mein Mann

mein Mann hat immer vom Borkenkäfer gesprochen
zum Asamer
soviel Holz als möglich hinein
und dann
nach einer Viertelstunde
absperren

SCHRIFTSTELLER *zum Asamer*
Dann gibt der Ofen die richtige Hitze ab
Asamer

GENERALIN
Zwanzig Jahre
kenne ich die Verhältnisse
aber es ist noch niemals
früh genug eingeheizt worden
Es ist mir niemals gelungen meinen Mann
von der Tatsache zu überzeugen
daß schon eine Woche

SCHRIFTSTELLER
M i n d e s t e n s eine Woche

GENERALIN
Mindestens eine Woche
bevor wir herkommen
eingeheizt werden muß
Asamer ab
Die Angst meines Mannes
diese Leute könnten
mehr Holz als notwendig verheizen
Daß sie etwas tun
was wir nicht wissen

SCHRIFTSTELLER
Asamer
was für ein Name

GENERALIN
Daß wir nicht alles sehen
das sie tun
Und jetzt muß der ganze Wald abgeholzt werden
weil im ganzen Wald der Borkenkäfer ist

SCHRIFTSTELLER
Bostricida
Xylophaga

GENERALIN

Mit seinen Augen
kann er hingehen wo er will
er sieht den Borkenkäfer nicht
den ganzen Befall sieht er nicht
Und wenn ihm niemand etwas davon sagt
weiß er es nicht

SCHRIFTSTELLER

Die Minister kommen
um ihn zu stürzen
und stützen ihn
lacht
der eine Minister stützt ihn
am linken Arm
den er gar nicht hat
und der andere Minister stützt ihn
am rechten
und beide stürzen ihn

GENERALIN

Siebzigmalneunzig Kilometer
rechnen Sie sich aus
wieviel das ist

SCHRIFTSTELLER

Eine ungeheuere Fläche gnädige Frau
Ein richtiger Großgrundbesitz

GENERALIN

Die ganzen Jahre sagt er
den Satz
Den Holzknechten
auf die Finger schauen
den Holzknechten
und den anderen Waldarbeitern
auf die Finger schaun
im Schlaf sagt er das oft
dann schreckt er auf
schwitzend
schwitzend wissen Sie schwitzend
und sagt
Den Holzknechten auf die Finger schaun

SCHRIFTSTELLER

Man muß sich das nur einmal vorstellen

Siebzigmalneunzig Kilometer
und der Borkenkäfer
ist in dem Ganzen
dann haben wir
weil ein solcher vom Borkenkäfer befallener Wald
gefällt werden muß
eine riesige weite vollkommen kahle Fläche
Der Gesetzestext gnädige Frau lautet so
daß ein Baum
der vom Borkenkäfer befallen ist
gefällt werden muß
und ist der Borkenkäfer im ganzen Wald
muß der ganze Wald gefällt werden
Und wenn der Besitzer des vom Borkenkäfer befallenen Waldes
die Mittel nicht hat
den Wald fällen zu lassen
legt der Staat den Wald nieder
aber solange einer die Mittel hat

GENERALIN

Er schreckt auf in der Nacht
und sagt plötzlich
Den Holzknechten auf die Finger schaun
der Gedanke quält ihn immer
daß etwas getan wird
das nicht getan werden darf
Weil er immer von zwei Welten spricht
die eine ist hinter dem Rücken
in welche plötzlich geschaut werden muß
wie er sagt
überraschend
Er verläßt sich vollkommen auf den Prinzen
geschieht etwas gegen den Willen meines Mannes
hat der Prinz Meldung zu machen
Der Prinz ist verantwortlich
Mein Mann verläßt sich auf ihn hundertprozentig
Die Prinzessin liebt er
wegen ihres Augenleidens
Wer in solcher Schönheit nichts sieht
sagt er
oder beinahe nichts sieht
Der Prinz ist der Vertrauteste meines Mannes

Der Prinz schützt meinen Mann
vor der immer wiederkehrenden Unverschämtheit der
Holzknechte
wie er die Holzknechte
vor der Rücksichtslosigkeit meines Mannes schützt

SCHRIFTSTELLER
Dann wird kein Mensch mehr
im Jagdhaus sein
wenn der Wald liegt

GENERALIN
Wir leben in einer Zeit
in welcher die Forderungen der gemeinen Menschen
erfüllt werden
das hat es nie gegeben sagt er

SCHRIFTSTELLER *nimmt die Karten und mischt sie*
Zutode mischen
zutode mischen
wirft die Karten auf den Tisch
Eine Unterbrechung meiner Arbeit
schadet nicht
wenn man mit dem Kopf
unvorhergesehen
ganz unvorhergesehen gnädige Frau
in eine andere Landschaft geht plötzlich
wie wenn man ihn
in eine Erfrischung eintaucht
Eine Unterbrechung
der Arbeit
und das Geschriebene
vergessen
wenn das möglich wäre

GENERALIN
Fortwährend die Angst
entdeckt zu sein

SCHRIFTSTELLER
Weil hier im Wald
nach dem Krieg
nur der Hunger
und die Denunziation
geherrscht haben
und der strengste aller Winter

GENERALIN *zum Asamer, der nachlegt*
In einer Viertelstunde absperren
SCHRIFTSTELLER
Die Kunst des Ofenheizens
ist die Kunst der Gewissenhaftigkeit
des Nachlegens
und die Kunst der Pünktlichkeit
des Absperrens
Diese Kunst beherrschen die meisten nicht
und daß zu regelmäßigen Zeiten
gekehrt wird
Asamer steht auf und will gehen
GENERALIN *zu ihm*
Daß alle Zimmer gut geheizt sind
einen heißen Ziegel ins Bett des Herrn Generals
und in die Betten der Minister auch heiße Ziegel
Mit dem Essen warten wir
bis die Herrschaften kommen
Die Anna soll das Kompott kalt stellen
plötzlich
Ist alles ausgeschaufelt
schauen Sie Asamer daß alles gut ausgeschaufelt ist
Asamer ab
SCHRIFTSTELLER
Zuschneien
Wenn es alles aufeinmal zur Gänze zuschneit
GENERALIN
Es ist nicht die Morgendämmerung
die Abenddämmerung ist es
während sich am Morgen alles langsam ankündigt
langsam verstehen Sie
tritt am Abend die Finsternis
abrupt ein
es ist plötzlich finster
Lange kein Licht machen
Die Sprechenden hören
aber nicht sehen
Das Feuer im Ofen hören
aber nichts sehen
Das Feuer im Ofen hören
aber nichts sehen

oder wenigstens nur so
daß es nicht schmerzt

SCHRIFTSTELLER

Wenn der Wald abgeholzt ist
ist es nicht mehr dieses schmerzhafte abrupte
Eintreten der Finsternis
wie wenn das Tageslicht
ganz plötzlich ausgelöscht wird

GENERALIN

Zweihundert Holzknechte müssen zusätzlich
aufgenommen werden

SCHRIFTSTELLER

Der Prinz hat von Bestechung gesprochen

GENERALIN

Stellen Sie sich das vor
achtundzwanzig Traktoren
eine Unzahl von Motorsägen

SCHRIFTSTELLER

Wenn sich ein Kopf gestatten kann
einen solchen Lärm auszuhalten

GENERALIN

Er wird nicht da sein
er wird nichts sehen
er wird nichts sehen
und nichts hören
Zuerst habe ich geglaubt
ich bin nicht da
aber jetzt denke ich
ich muß dabei sein
Weil mir allein der Gedanke unerträglich gewesen ist
daß der ganze Wald abgeholzt wird
Zusehen wie sie fallen
Asamer mit einem Zettel zur Generalin
Generalin liest den Zettel, dann
Gut Asamer
Asamer ab
Die Anna
getraut sich nicht herein
sie will morgen heim
auf einen halben Tag
Wenn Sie da sind

getraut sie sich nicht herein
Dann schickt sie einen Zettel
lacht

SCHRIFTSTELLER
Wann war das
Wann haben Sie die Entdeckung gemacht
daß der Borkenkäfer

GENERALIN
Vor eineinhalb Jahren
Aber da war es schon zu spät

SCHRIFTSTELLER
Und seine Krankheit

GENERALIN
Vor einem Jahr

SCHRIFTSTELLER
Die halten das Wasser nicht mehr
die eine solche Erkrankung haben
es ist ein langwieriger
gleichzeitig schmerzhafter Prozeß
Da ist der Graue Star
zur rechten Zeit

GENERALIN
Wie man sich nicht erklären kann
daß an allen Stellen des Waldes

SCHRIFTSTELLER
Eines so riesigen Waldes

GENERALIN
Gleichzeitig
der Borkenkäfer auftritt
das ist unerklärlich
die Professoren der Hochschule für Bodenkultur
greifen sich an den Kopf
Zuerst Das ist unmöglich
ausgeschlossen
es hat überhaupt keine Begründung
daß es auch ganz gegen die Natur sei
Sie können sich nicht vorstellen dieser Zustand
Die Fachleute waren irritiert

SCHRIFTSTELLER
Die Wissenschaft
ist immer eine sprachlose gnädige Frau

GENERALIN

Weil niemand an die Möglichkeit
der Gleichzeitigkeit
glaubte
Weil so etwas ganz einfach
den Gesetzen der Natur widerspricht

SCHRIFTSTELLER

Den Naturgesetzen

GENERALIN

Von allen Bäumen hat sich beinahe gleichzeitig
die Rinde

SCHRIFTSTELLER

Gleichzeitig
tot
dürr
abgestorben gnädige Frau

GENERALIN

Er konnte es nicht mehr sehen
aber alle andern sehen es
umso deutlicher
Es war der Asamer der als erster
die Entdeckung gemacht hat
Zum Glück
hat mein Mann geglaubt
es handelt sich nur um ein paar Stämme
Ich sehe noch meinen Mann
da wo Sie stehen
da am Fenster
ich sitze
wo ich sitze
da kommt der Asamer herein
und legt nach
und sagt
in ein paar Bäumen ist der Borkenkäfer
darauf lacht mein Mann
wie er gelacht hat
Darauf fragt mein Mann den Asamer wo
und der Asamer sagt
gleich hinter dem Jagdhaus
mein Mann hat das Ganze rasch vergessen
Da hab ich schon vom Ausmaß der Katastrophe gewußt

daß der Borkenkäfer
in jedem Baum ist
und die Professoren sind in aller Heimlichkeit gekommen
daß mein Mann davon nichts erfährt
Wenn er den Grauen Star hat
und er hat den Grauen Star
haben sie gesagt
sieht er ja nichts
haben sie gesagt
Da am Fenster sind sie gestanden
wo Sie jetzt stehen
Die ganze Woche haben die Forstleute
Kontrollen gemacht
an allen Ecken und Enden
und überall
war der Borkenkäfer
Stehenlassen
das ganze dürre Holz
stehenlassen habe ich gedacht
der Borkenkäfer soll alles auffressen

SCHRIFTSTELLER

So gesehen
ganz richtig gesehen ist seine Krankheit
ein Glück
und der Graue Star dazu

GENERALIN

Ich habe alle zum Schweigen gebracht

SCHRIFTSTELLER

Ein solcher vom Borkenkäfer befallener Wald
muß zur Gänze abgeholzt werden

GENERALIN

Daß es sich herumspricht
habe ich immer Angst gehabt
und meinem Mann zu Ohren kommt

SCHRIFTSTELLER

Daß er an seiner Schrift arbeitet
an seinem Lebenswerk gnädige Frau
und mit diesem seinem Lebenswerk vollkommen beschäftigt ist
und pausenlos in seinem Stadtzimmer eingesperrt ist
kommt ihm zugute

GENERALIN
Die jungen Offiziere machen seine Arbeit
im Ministerium
Andererseits denkt er nur
an den Wald
es geht ihm nichts über den Wald
wissen Sie
Es hat sich immer alles in ihm
auf den Wald konzentriert

SCHRIFTSTELLER
Dann haben wir es hier
mit einer ungeheueren freien Fläche zu tun

GENERALIN
Hier kam mein Mann immer
auf die besten Gedanken

SCHRIFTSTELLER
Anregungen
Gedanken

GENERALIN
Auf die besten Gedanken
nicht in der Stadt
auf dem Land
im Wald
tagelang konnte er allein sein
selbst die Holzknechte
störten ihn
er wich ihnen aus
in seinen Stiefeln
und mit Bleistift und Papier

SCHRIFTSTELLER
Und mit seinem grünen Hut
auf dem Kopf

GENERALIN
Hörte er die Holzknechte
machte er einen Umweg
Kein Wort mit ihnen
oft jahrelang
kein Wort mit ihnen
außer mit dem Asamer
Wenn ich nur im Wald bin
sagt er immer

Im Wald denke ich
Alle diese Veränderungen
die im Grunde
auf die Spaziergänge meines Mannes
zurückgehen
alles was diesen Staat verändert hat
gefestigt hat
wie er immer sagt
man muß einen solchen Wald haben
um solche Gedanken zu haben

SCHRIFTSTELLER

Ein solcher Charakter
wie der Charakter Ihres Mannes
Im Hintergrund agieren zu können
ist auch von ihm
wie
ein solcher Wald in welchem alles
nur keine Ruhe ist
den General zitierend
Ein solcher Wald
in welchem alles nur keine Ruhe ist
ist alles für meinen Kopf

GENERALIN

Bei Kriegsende
haben wir uns hier versteckt
hätten sie uns gefunden
sie hätten uns umgebracht
Im Wald waren wir
verstehen Sie
nicht im Jagdhaus
ins Jagdhaus getrauten wir uns nicht
Wer ins Jagdhaus gegangen ist
den haben sie umgebracht
sie haben jeden im Jagdhaus umgebracht
Ständig in der Angst
entdeckt zu sein wissen Sie

SCHRIFTSTELLER

Wenn man wie Sie
zu einem so ungeheueren Vermögen gekommen ist
und sich dann
beispielsweise in dem eigenen ungeheueren Wald

verstecken muß
Die Angst umgebracht zu werden
in einem solchen ungeheueren Wald

GENERALIN
Plötzlich
entdeckt zu sein

SCHRIFTSTELLER
In einem solchen Wald
in welchem alles
nur keine Ruhe ist
Wenn zwei riesige Vermögen
zu einem einzigen riesigen Vermögen gemacht werden
gnädige Frau
in welchem man sich
verstecken muß

GENERALIN *schaut hinaus*
Jetzt ist es
vollkommen finster
Asamer kommt herein und sperrt den Ofen ab
Wenn man nurmehr noch Schritte hört
aber nichts sieht
nur noch hört
nichts sieht
Asamer will das Licht aufdrehen
Nicht
Kein Licht Asamer
Ist der Ofen gut abgesperrt
zum Schriftsteller
Wissen Sie
ich habe Angst
vor meinem Mann
und die Minister hasse ich
ich habe diese beiden von Anfang an gehaßt
sie hintergehen meinen Mann
sie haben ihn ausgenützt
jahrelang
jahrzehntelang haben sie ihn ausgenützt
er hat ihnen ihre Stellungen verschafft
den einen hat er schon mit vierundzwanzig
ins Ministerium hineingebracht müssen Sie wissen
die Minister verdanken meinem Mann alles

und jetzt hintergehen sie ihn
sie wollen ihn weghaben
weghaben verstehen Sie
jetzt kommen sie um meinen Mann
zum Rücktritt zu zwingen
Vor den Gemeinen ist man nirgends sicher
Am liebsten
allein
in der Finsternis
zuerst muß man sich dazu zwingen
dann liebt man diesen Zustand
zuerst ist es Zwang
Kein Mensch hält die Finsternis aus
daß nichts geschieht verstehen Sie
zwingen
sich selbst dazu zwingen
dann liebt man diesen Zustand

SCHRIFTSTELLER
Eines Tages haben Sie Ihr Vermögen
mit dem Vermögen Ihres Mannes zusammengetan
um sich in diesem so entstandenen riesigen Vermögen
verstecken zu müssen

GENERALIN
Und jetzt ist Ruhe
kein Krieg
nichts

SCHRIFTSTELLER
Und der Borkenkäfer ist aufgetreten

GENERALIN
Der Borkenkäfer
zum Asamer
Ist der Ofen abgesperrt Asamer

ASAMER
Ja gnädige Frau

GENERALIN
Diese fortwährende Aufmerksamkeit
und Arbeit
ja Angst wissen Sie
bis einem überhaupt warm ist
Asamer ab
Generalin ruft ihm nach

Zünden Sie das Gartenlicht an Asamer
Und alles gut ausschaufeln
gut ausschaufeln alles
zum Schriftsteller
Die Minister haben eine unglaubliche Unterstützung
von kirchlicher Seite
Mein Mann haßt die Kirche

SCHRIFTSTELLER
Er ist der geborene Atheist

GENERALIN *steht auf und dreht das Licht auf, setzt sich wieder*
Bevor er in die Klinik geht
nocheinmal auf die Jagd
Ich habe ihm zugeredet

SCHRIFTSTELLER
Nach und nach
wahrscheinlich unter dem Eindruck der Todeskrankheit
die ihm nicht bewußt ist
hört er auf Sie gnädige Frau

GENERALIN
Ich habe ihm zugeredet

SCHRIFTSTELLER
Jetzt
aufeinmal
wollen Sie ihn nicht mehr verletzen

GENERALIN *pathetisch*
Ich habe eine Mauer des Schweigens
um ihn aufgerichtet
er darf
vom Borkenkäfer
nichts wissen

SCHRIFTSTELLER
Das frage ich mich
ob der General wirklich nichts weiß
ob es so ist daß er nichts weiß
oder ob er nur so tut als wisse er nichts
Das Ende ist es zweifellos gnädige Frau
Verstehen Sie mich gnädige Frau
einem General kann gesagt werden
was gesagt werden muß
offen verstehen Sie gnädige Frau
was sein Zustand ist

GENERALIN
Ihm nicht
nicht ihm
SCHRIFTSTELLER
Einem Manne gegenüber
dessen erstes Kennzeichen
die rücksichtslose Offenheit ist
Denn ein solcher aufgeklärter Mensch
existiert durchaus mit einem andern Verstand
gnädige Frau
GENERALIN
Er weiß es nicht
er darf es nicht wissen
Ununterbrochen
ganz gleich wann und wo
spricht er nur von seinem Wald
SCHRIFTSTELLER
Daß es Ihnen gelungen ist
ihm den Borkenkäfer
zu verheimlichen
Die Förster
und die Holzknechte
alle mit dem Wald Zusammenhängenden
zum Schweigen zu bringen
denn daß das schwierig ist
den Menschen
der zum Reden geboren ist gnädige Frau
zum Schweigen zu bringen
noch dazu über die längste Distanz
eine ganze
fortwährend auf Neugierde
und auf die Vermittlung
von Tratsch bedachte Gesellschaft
Durch fortwährende
und wie ich glaube intelligente Bestechung
ist Ihnen gelungen
was Sie sich vorgenommen haben
GENERALIN
Kein Mensch
niemand
hat etwas gesagt

SCHRIFTSTELLER
Tatsache ist
daß der Borkenkäfer
alles hier
alles mit dem Jagdhaus Zusammenhängende
zerstört
zerfrißt
alles

GENERALIN
Der Arzt spricht
von einer Todeskrankheit
wie Sie
ganz offen
es ist nur eine Frage
der kürzesten Zeit

SCHRIFTSTELLER
Aus diesem Grunde
auch weil es nur eine Frage
der kürzesten Zeit ist
verheimlichen Sie ihm den Borkenkäfer
Und der Graue Star
den er hat
ist Ihr Verbündeter
Die Offenheit verblüfft
mit welcher die Ärzte
unter Umständen
vorgehen

GENERALIN
Ein kleiner Eingriff
glaubt mein Mann

SCHRIFTSTELLER
Dabei hatten Sie schon
bevor die Ärzte darauf gekommen sind
den Verdacht
Ihr Mann leidet
an einer Todeskrankheit
Er sei anders
sagten Sie
schon vor langer Zeit

GENERALIN
Er war plötzlich

anders
Auf dem Bankett
ist es gewesen

SCHRIFTSTELLER

Ich erinnere mich
auf dem Bankett
geht zum Plattenspieler und legt die Suite Nr. 5 für Cembalo von Händel auf
Aber während Sie glaubten
die Krankheit werde erst später
viel später zum Ausbruch kommen
geschah der Zwischenfall mit der Motorsäge
Eine Verletzung
wie die Verletzung mit der Motorsäge
bringt eine Todeskrankheit zum Ausbruch
Und wenn Ihr Mann übermorgen
in der Klinik ist
und vielleicht gerade während an ihm
der Eingriff vorgenommen wird
der ja kein Eingriff ist
denn es handelt sich wie Sie wissen
um eine äußerst komplizierte
und sogar sehr gefährliche Operation
wenn Sie auf das Schlimmste gefaßt sind
gnädige Frau
fallen die ersten Bäume
Dann die Zeit der Rekonvaleszenz
die Zeit am Meer
die Zeit in Rom
die er wünscht

GENERALIN

In Rom wird das Ende sein

SCHRIFTSTELLER

Dann kommen Sie zurück
und die Bäume liegen schon
und möglicherweise ist von dem ganzen Wald
nichts mehr zu sehen

GENERALIN

Natürlich weiß er etwas
aber das Tatsächliche weiß er nicht
Ich habe mit den Ministern gesprochen

Daß er stirbt habe ich gesagt
Mein Mann der General stirbt in der kürzesten Zeit
warten Sie
einer der in der kürzesten Zeit stirbt
braucht nicht zum Rücktritt gezwungen werden
Sie müssen die Entscheidung jetzt haben
jetzt
Mein Mann tritt nicht zurück
Er stirbt
aber er tritt nicht zurück
verstehen Sie
Er denkt auch gar nicht an Rücktritt
Ich habe den Ministern gesagt
daß der Borkenkäfer im Wald ist
und daß der ganze Wald abgeholzt werden muß
Es nützte nichts

SCHRIFTSTELLER

Es kommt vor
unter der Intelligenz gnädige Frau
daß ein Mann zu einer Motorsäge
oder zu einem anderen Werkzeug greift
mit welchem er überhaupt nichts zu tun hat
daß ein Intelligenzler plötzlich urplötzlich
daran denkt
einen Baum zu fällen
aufeinmal hat ein solcher das Bedürfnis
in eine Mauer Nägel hineinzuschlagen
einer der jahrelang und ununterbrochen an einem Schreibtisch sitzt
geht aufeinmal in eine Schottergrube
oder ganz einfach in den Wald
ein solcher glaubt plötzlich
etwas zertrümmern oder etwas umschneiden zu müssen
wie ja Ihr Mann der General auch urplötzlich
in den Wald gegangen ist mit der Motorsäge
plötzlich bricht ein solcher aus seinem Kopf aus
und geht in den Wald
und fällt einen Baum
oder er geht in die Schottergrube
oder er bringt einen Menschen um verstehen Sie
oder er zieht plötzlich

die Unterhosen an
die von den Holzknechten getragen werden
ein solcher der immer nur die feinste Wäsche getragen hat
aufeinmal läuft ein solcher mit derben Schaftstiefeln daher
oder er setzt sich eine Filzkappe auf
wo er doch nur die ausgesuchtesten Hüte gewohnt ist
Dann kommt es zu fürchterlichen
und sehr oft tödlichen Verletzungen gnädige Frau
Der General hat sich mit der Motorsäge ins Bein geschnitten
und diese Verletzung hat seine eigentliche Todeskrankheit
zum Ausbruch gebracht
in einem jeden ist eine Todeskrankheit
und eine kleine oft ganz unbedeutende ja oft gar nicht
wahrgenommene Verletzung
bringt sie zum Ausbruch

GENERALIN

Zum Glück hat er den Asamer mitgehabt
Der hat ihn aus dem Wald herausgeschleppt
ins Jagdhaus
Und daß er in die Hände eines guten Chirurgen gekommen ist
Schritte draußen, Reden, Lachen

SCHRIFTSTELLER

Der General
stellt die Musik ab
Kein Unglück also
General, ohne linken Arm, Minister, Prinz und Prinzessin
treten ein, Köchin, Asamer, die ihnen die Mäntel abnehmen
und wieder hinausgehen
General umarmt seine Frau
Schriftsteller bleibt im Hintergrund
Prinz und Prinzessin an der Tür

GENERAL

Dieser plötzliche Schneefall
alles eingeschneit
alles eingeschneit
Das letzte Stück zu Fuß

SCHRIFTSTELLER

Ein trockener
kalter Winter Herr General

GENERAL *ruft aus*

Der Herr Schriftsteller

General und Schriftsteller gehen aufeinander zu und schütteln sich die Hände
Damit meiner Frau nicht langweilig ist
Ihre Philosophie
oder besser gesagt Ihre Philosophien
lenken Sie ab
Stellen Sie sich vor
meine Sekretärin
ist in Ihrer Komödie gewesen
mehr eine Operette wie ich glaube
eine ausgezeichnete Vorstellung
Der Geschichtemacher
oder der sogenannte Geschichtemacher in Ihrem Stück
mehr eine Operette
hat ihr ganz ausgezeichnet gefallen
Eine solche Rolle einzustudieren
dazu braucht man einen komödiantischen Kopf nicht wahr
einen Kopf wie eine Maschine
und ein überdurchschnittliches Talent
Talent muß man haben
Die Schauspieler müssen Talent haben
Talent Talent
die Schauspieler müssen Talent haben
und müssen eine Maschine sein
mit einem Theaterkopf
nicht mit einem theatralischen Kopf
muß der Schauspieler auf die Welt kommen
lacht
zu allen
setzen Sie sich
setzen
setzen Sie sich
alle setzen sich

GENERALIN *fragt*
Sherry Schnaps

ALLE *durcheinander*
Schnaps Sherry
Sherry Schnaps

GENERALIN *zum General*
Ich hatte Angst
du kommst nicht

daß etwas passiert ist

GENERAL

Ohne die Hilfe der Minister

GENERALIN

Es war noch nie
so viel Schnee

GENERAL

Der Schriftsteller in seinem Wahnsinn
schreibt eine Komödie
mehr eine Operette
und die Schauspieler fallen
auf diese Komödie
Operette
herein
Und dann glaubt die Welt die gebildete Welt
es handelt sich um etwas Philosophisches
Der Schriftsteller attackiert die Philosophie
oder eine ganze Menge von Philosophien
und setzt den Schauspielern ganz einfach seinen Kopf auf
und handelt es sich um eine Tragödie
behauptet er
eine Komödie sei es
und ist es eine Komödie
behauptet er
eine Tragödie
wo es doch nichts als Operette ist
Die Schriftsteller zwingen die Schauspieler
in einen dramatischen Vorgang
und jedes Mittel ist ihnen recht
in einen dramatischen Vorgang
gegen die Schauspieler
und das Ganze ist nichts als ein Widerspruch
zu den Ministern
Passen Sie auf was Sie sagen
dieser Herr
bringt was er sieht
auf die Bühne
überlegen Sie was Sie zum besten geben
und was Sie verschweigen meine Herren
denn es kommt als etwas Philosophisches
das nichts anderes als eine Gemeinheit ist

auf die Bühne
Dieser Herr macht aus Ihnen auch eine Operette
Minister lachen
Der Prinz ist der Schweigsamste
und die Prinzessin ist die Charmanteste
Der Prinz schreibt Gedichte
die er uns ab und zu vorliest
seine Frau
ist mit ihren beiden reizenden Kindern
beschäftigt
Unser Schriftsteller beobachtet
müssen Sie wissen
aber er beobachtet etwas anderes
als die Wirklichkeit
zu den Ministern
Von der Ballistik meine Herren
versteht er nichts
aber von ihm meine Herren
ist das Wort Staatsintrige
Köchin herein, will etwas sagen

GENERALIN

Das Nachtmahl
bedeutet der Köchin, sie soll gehen
Köchin ab
Generalin steht auf
alle stehen auf

GENERAL

Ich habe einen ungeheueren Appetit
Alle gehen hinaus
General über den Schriftsteller
Ein undurchschaubarer Kopf
ein ganz und gar undurchschaubarer Kopf
alle hinaus

Vorhang

Während der Jagd

Durch das Jagdhaus sieht man ganz deutlich den Wald
Generalin und Schriftsteller kartenspielend, schnapstrinkend, lachend wenn der Vorhang aufgeht

GENERALIN *ihre Karten auf den Tisch werfend, notiert bis zum Ende der Szene auf einem Zettel Gewinn und Verlust*
Gewonnen
gewonnen
nimmt das Kartenspiel und mischt, gibt aus

SCHRIFTSTELLER
Dieses laute Lachen
Ihr lautes Lachen
schaut in die Karten, nimmt sich noch zwei Karten
Es herrscht ein großes Interesse
an Todeskrankheiten
wirklich
wirft die Karten auf den Tisch
gewonnen
an theatralischen Vorgängen
Generalin mischt, gibt aus
Schriftsteller trinkt
Wenn wir beobachten
und nicht in dem Geschehen sind
schaut in die Karten, nimmt sich noch drei Karten
Der Unverstand
und die Zwecklosigkeit
die Mittel mit welchen sich Menschen
die dafür gar nicht gemacht sind

GENERALIN *mit beiden Händen auf den Tisch schlagend*
Gewonnen
gewonnen
gewonnen
trinkt

SCHRIFTSTELLER
Wir müssen nicht teilnehmen
teil h a b e n ja
aber nicht teil n e h m e n
Wenn wir unsere Beobachtungsgabe
wirft seine Karten auf den Tisch

Sie haben gewonnen
mischen Sie
mischen Sie
Generalin mischt schnell
Eine Unsumme
eine Unsumme
wirklich eine Unsumme
nimmt Karten
Möglicherweise
möglicherweise

GENERALIN *nimmt sich ungewöhnlich viel Karten*
Was ist möglicherweise

SCHRIFTSTELLER
Möglicherweise
ist es gar keine Todeskrankheit
lacht
möglicherweise ist es überhaupt keine
Todeskrankheit
Seine beste Geschichte ist die
in welcher er schildert
wie ihm der linke Arm abgerissen worden ist
In Stalingrad
lacht

GENERALIN
Beinahe verblutet

SCHRIFTSTELLER
Immer wenn er das erzählt
sagen Sie am Ende die beiden Wörter
beinahe verblutet
worauf er antwortet
Meinem ärgsten Feind wünsche ich
die sibirische Kälte nicht
beide lachen

GENERALIN
Als erstes hat er sich gewünscht
daß wir auf das Oktoberfest fahren
aber wie es soweit war
sind wir nicht gefahren

SCHRIFTSTELLER
Weil man mit einem Arm
nicht schaukeln kann

GENERALIN
Nicht schaukeln
SCHRIFTSTELLER
Nicht schaukeln
nicht schaukeln
nicht schaukeln
GENERALIN *wirft die Karten auf den Tisch*
Gewonnen
gewonnen
sehen Sie
jetzt gewinne ich
Um dann wieder zu verlieren
SCHRIFTSTELLER
Mischen Sie
Sie müssen schnell mischen
Der ganze Sinn dieses Spiels besteht darin
daß schnell gemischt
und daß sehr schnell gespielt wird
Nach einer Stunde
mischen Sie aufeinmal so langsam
Schnell mischen
schnell verstehen Sie
nimmt ihr die Karten aus der Hand, mischt schnell
So schnell sehen Sie
so muß man mischen
so gehört Siebzehnundvier gespielt
so so
teilt die Karten aus
Mit einem Arm
kann man nicht schaukeln
Man kann so vieles nicht tun
mit einem Arm
Aber die ehrgeizigsten
sind die Krüppel
die Verkrüppelten
nimmt sich fünf Karten
Wir beobachten das
wenn wir hineinschauen
in die Geschichte
wenn wir in die Geschichte zurückgehen
wenn wir uns einlassen

mit dieser Unsinnigkeit
Die Verkrüppelten beherrschten die Welt
nicht die andern

GENERALIN
Meine Schwiegermutter
seine Mutter
hat aus ihm gemacht
was er ist

SCHRIFTSTELLER *wirft die Karten hin*
Gewonnen
Generalin mischend, ausgebend, plötzlich sehr schnell
Es ist ein Diktat
es ist nichts als ein Diktat
nimmt sich sechs Karten
Immer wieder entdecken wir uns dabei
wie wir uns mit dem Abstoßenden einlassen
ist es eine Sache
oder handelt es sich um Menschen
wir verkehren mit einer abstoßenden Sache
immer wieder
immer wieder auch mit abstoßenden Menschen
das Abstoßende zieht uns an
trinkt
Die Jagd beispielsweise
ist abstoßend
mich stößt die Jagd ab
Die Jagd ist abstoßend

GENERALIN
Er haßt Sie
aber nicht so tief
wie Sie ihn hassen
wirft ihre Karten hin
gewonnen

SCHRIFTSTELLER
Da sehen wir einen sogenannten angesehenen Mann
beispielsweise

GENERALIN
Er liest mir
aus seinem Manuskript vor
aber mich ekelt
vor seiner Stimme

und vor allem was er vorliest

SCHRIFTSTELLER

Dabei ist alles stichhaltig
was er schreibt
alles stichhaltig
Und seine Kompetenz
ist die größte
Ein unbestechlicher Mensch
wirft die Karten auf den Tisch

GENERALIN

Jetzt gewinnen Sie wieder
Ein zweimal gewinne ich
und dann gewinnen Sie
dann gewinnen Sie immer
nimmt die Karten, mischt, gibt aus
Auf dem Dachboden
müssen Sie wissen
hat er noch seinen Soldatenmantel
Und unter dem Soldatenmantel
die Uniform
die er getragen hat
wie es ihm den Arm abgerissen hat

SCHRIFTSTELLER

Er wäre beinahe verblutet

GENERALIN

Er hat den Schlüssel
zu dem Kasten
in dem er diese Uniformstücke hat
abgezogen
Es ist sein Wunsch
daß er in dieser Uniform
begraben wird

SCHRIFTSTELLER

Und in einem ungehobelten Weichholzsarg

GENERALIN

Und in einem ungehobelten Weichholzsarg

SCHRIFTSTELLER *wirft die Karten auf den Tisch, trinkt*

Gewonnen
Generalin lacht plötzlich laut auf
Warum lachen Sie
Warum lachen Sie

Ihr lautes Lachen
Generalin gibt die Karten aus
Ein Fasanenjahr
habe ich gelesen
ein Fasanenjahr

GENERALIN
Er haßt das Kartenspiel
Es ist immer so gewesen
ist er auf der Jagd
warte ich hier
immer habe ich hier
allein
gewartet

SCHRIFTSTELLER
Zuerst verursacht der Graue Star
keinerlei Schmerz
plötzlich treten die Schmerzen auf

GENERALIN
Wenn er zielt
sagt er
wie hinter einem Schleier
er schießt
durch einen Schleier
durch einen Schleier

SCHRIFTSTELLER *wirft die Karten hin*
Gewonnen
Generalin nimmt die Karten auf, mischt, gibt
Schriftsteller trinkt, nimmt sechs Karten
Die Förster
und die Holzknechte
ließen Sie schwören
Ihr ganzes Augenmerk
richteten Sie nur darauf
Ihrem Mann
den Borkenkäfer zu verschweigen
Asamer herein, um den Ofen zu kontrollieren

GENERALIN
Es ist gut Asamer
Erst wenn die Gesellschaft zurückkommt
nachlegen
erst dann

ASAMER
Ja gnädige Frau
geht wieder hinaus
GENERALIN
In Wirklichkeit
hat mich die Treue
dieser einfachen Menschen
immer abgestoßen
sie stößt mich ganz einfach ab
trinkt
Schüsse von draußen
SCHRIFTSTELLER
Ein Fasanenjahr
gnädige Frau
GENERALIN
Einundzwanzig
ich habe einundzwanzig
SCHRIFTSTELLER
Ich habe auch einundzwanzig
GENERALIN
Immer wenn ich einundzwanzig habe
haben Sie auch einundzwanzig
nimmt die Karten, mischt, gibt aus
SCHRIFTSTELLER
Wenn wir verdoppeln
ist es Ihre Chance
GENERALIN *nimmt acht Karten*
Drüber
SCHRIFTSTELLER *legt die Karten auf den Tisch*
Einundzwanzig
GENERALIN
Sehen Sie
wirft ihre Karten hin
Mit Ihnen spielen heißt in jedem Fall
verlieren
verlieren
verstehen Sie
verlieren
nimmt die Karten, mischt, gibt
SCHRIFTSTELLER
Eine Unsumme

die Sie an mich
zu bezahlen haben
trinkt

GENERALIN
Es ist so
daß ich oft sage
was nicht gesagt werden darf
Sie sind der rücksichtsloseste Mensch
den ich kenne
es gibt keinen Menschen
mit einer größeren Rücksichtslosigkeit

SCHRIFTSTELLER *legt die Karten auf den Tisch*
Gewonnen
ich habe zwei As

GENERALIN *nimmt die Karten und mischt, gibt aus*
Die Wahrheit ist
Wenn sich ein Anderer
nur das Geringste erlaubte
Andererseits

SCHRIFTSTELLER
Andererseits

GENERALIN
Andererseits
ist es ein Vergnügen
Und das größte Vergnügen ist
mit Ihnen Karten zu spielen
Wenn Sie so laut auflachen
und in Ihrem Kopf
ist es ein philosophischer Gegenstand
oder etwas Unanständiges

SCHRIFTSTELLER *wirft die Karten hin*
Gewonnen

GENERALIN
Haben Sie gehört
etwas Unanständiges
mischt, gibt aus, trinkt
Der Vorzug in dieser Unterhaltung ist
daß Sie ein entsetzlicher Mensch sind

SCHRIFTSTELLER *wirft die Karten hin*
Gewonnen

GENERALIN *nimmt die Karten, mischt, gibt aus*

Dann telefoniere ich
schreibe ich
telefoniere ich
Schüsse
telefoniere ich
Und immer die Ungewißheit
ob Sie überhaupt kommen
beschämend
Denn wie oft sagen Sie
Sie kommen
und kommen dann gar nicht
Wie oft schreibe ich
und bekomme gar keine Antwort
Schon am Vortag wird Ihr Wein
Ihre Spezialmarke
ins Zimmer gestellt
die Mehlspeisen werden kalt gestellt

SCHRIFTSTELLER *wirft die Karten auf den Tisch*
Gewonnen
trinkt

GENERALIN *nimmt die Karten, mischt, gibt*
Ist alles für Sie
das ganze Haus
hat sich auf Sie eingestellt
Und dann kommen Sie gar nicht
Plötzlich
nach acht Tagen vielleicht
wenn ich Glück habe
sind Sie da
Keine Entschuldigung
nichts
als ob nichts gewesen wäre
Sie essen und trinken
und lachen
Und wie Sie lachen
Wie Sie lachen
Wie Sie lachen können

SCHRIFTSTELLER *legt die Karten hin, lacht*
Gewonnen

GENERALIN *nimmt die Karten, mischt, gibt aus*
Dann spielen wir

Siebzehnundvier
und schweigen
Plötzlich gehen Sie

SCHRIFTSTELLER

Wenn wir einen Menschen anschauen
gleich was für einen Menschen
sehen wir einen Sterbenden
ein Sterbender ist es
Und immer sehen wir
genau dann wenn wir aufwachen
Wir sind zur Bewegungslosigkeit verurteilt
Verstehen Sie
wir sind tot
alles ist tot
alles in uns ist tot
alles ist tot
wirft die Karten hin
gewonnen
lachend
gewonnen
gewonnen

SCHRIFTSTELLER und GENERALIN *lachend*

Gewonnen

SCHRIFTSTELLER

Wenn es etwas ist
der Tod ist es
Wir hören eine Stimme
Schüsse draußen
wir fragen
Der Tod ist es
Dieser schöne Mensch sagen wir
Der Tod ist es
Dieses exakte Werk
Der Tod ist es
Generalin mischt die Karten, gibt aus
Schriftsteller nimmt neun Karten
Was wir veröffentlichen
Der Tod ist es
Wir sind einsam
Wir sind abgestorben
Der Tod ist es

Alle diese Gesichter müssen Sie wissen
die plötzlich tot sind
wir sehen sie
und sehen sie plötzlich tot
plötzlich tot
Jedes Gesicht
als ein totes
Die Infamie mit welchen die Menschen
ihr totes Gesicht
Schüsse
Die Mittel die wir
trinkt
Wenn wir Verstand haben gnädige Frau
verfinstert sich alles
Wir zögern
wir v e r zögern
wir hassen
was wir sind
Was wir aufschreiben
ist der Tod

GENERALIN *legt die Karten auf den Tisch*
Sie haben gewonnen
Sie haben gewonnen

SCHRIFTSTELLER
Was wir sehen
der Augenblick
der Endpunkt
der Tod
Ein Freund stirbt
alles ist tot
sehen Sie
legt seine Karten auf den Tisch
Generalin nimmt die Karten, mischt, gibt aus
Gehen wir in unser Zimmer
fragen wir uns
warum
worin befinden wir uns
wenn wir in unserem Zimmer sind
Schüsse
Wir sind allein
oder nicht allein

wir hören Musik
oder wir hören nicht Musik
Jeder Gegenstand gnädige Frau
ist der Tod
Was wir angreifen
ist abgestorben
abgestorben ist es
was wir angreifen
abgestorben
abgestorben gnädige Frau

GENERALIN und SCHRIFTSTELLER *lachend, durcheinander*
Abgestorben
abgestorben
Schüsse

SCHRIFTSTELLER
Wir verachten
was wir hören
Was wir sehen
verachten wir
Dieser Mensch
mit diesem Gefühl sagen wir
dieser Mensch
mit dieser Vergangenheit
dieser Mensch
mit diesem Gesicht
legt die Karten auf den Tisch
Gewonnen
Generalin nimmt die Karten, mischt, gibt
Wir erwarten etwas
einen Menschen
eine Todeskrankheit
ständig gnädige Frau
i n ständig
Dadurch sind wir krank
dadurch haben wir
jeder von uns
eine Todeskrankheit
Immer ist es etwas Anderes
ein Anderer
dadurch sind wir unglücklich
nimmt fünf Karten

Was ist dieser Gedanke
fragen wir uns
von welchem wir ausgegangen sind
Nach der Ursache fragen wir
Ist es d a s
oder ist es d a s
fragen wir
Und wenn wir den einen abtöten
ist der andere da
Wo kommen wir hin wenn wir
sagen wir uns
und fortwährend berufen wir uns
auf unseren Charakter
Wir bezichtigen die Individuen
der Charakterschwäche gnädige Frau
und wir berufen uns gleichzeitig
auf die Ungerechtigkeit
wie auf das Recht
aber das Leben
oder besser die Existenz gnädige Frau
ruft aus
Gewonnen
wirft die Karten auf den Tisch
ist ein Alptraum
Generalin nimmt die Karten, mischt, gibt
Sehen wir einen Menschen
müssen wir uns fragen
was alles mit diesem Menschen zusammenhängt
einen Charakter
was mit diesem Charakter
und so mit jeglichem Gegenstand
auf diese Weise
sind wir fortwährend nahe daran
verrückt zu werden
Denn andauernd alles ablehnen
den Kopf verweigern gnädige Frau
ist eine Unmöglichkeit
Die Tatsachen sind immer
erschreckende
und die Gedanken derartig
daß sie die Materie zersetzen

und immer alles in Auflösung begriffen
wissen Sie
wodurch wir verzweifeln müssen
Ein Mensch
ist ein verzweifelter Mensch
alles andere ist die Lüge
Dann verlieren wir aber
weil wir so konsequent sind
alle Augenblicke immer wieder
den Zusammenhang müssen Sie wissen
und alles ist eine grobe Fälschung
Plötzlich denken wir
an der Oberfläche
Schüsse
und greifen uns an den Kopf
Es ist ein großes Ausnützen
sonst nichts

GENERALIN *legt die Karten auf den Tisch*
Schüsse
Sie haben gewonnen

SCHRIFTSTELLER
Gewonnen
Schüsse
Schriftsteller wirft die Karten auf den Tisch
Generalin nimmt die Karten, mischt, trinkt
Schriftsteller trinkt, nimmt fünf Karten
Dann frage ich mich
warum komme ich her
Was habe ich hier
zu suchen
nimmt noch zwei Karten
Was habe ich hier zu tun
Was ist das Herr General
Was ist das Herr Präsident
Schüsse
Er ist ein Idealist
Die Minister werden ihn zwingen
Er wird sich fügen müssen
Wahrscheinlich haben sie schon sein Wort
Diese Leute kenne ich
diese Leute sind unnachgiebig

Was ist das ein Herr Minister
Sehen Sie sich diese Leute an
Aber mit Verachtung allein
ist nichts getan
nichts

GENERALIN
Er ist ein Idealist

SCHRIFTSTELLER *trinkt*
Aber ein Idealist ist ein Dummkopf
wirft die Karten auf den Tisch, ruft aus
Gewonnen

GENERALIN *nimmt die Karten, mischt, gibt aus*
Sie mit Ihrem
kommunistischen Gedankengut

SCHRIFTSTELLER *lacht, nimmt vier Karten*
Einundzwanzig

GENERALIN
Einundzwanzig

SCHRIFTSTELLER
Verdoppeln
Generalin mischt, gibt aus
So wenn ich mit Ihnen
durch den Wald gehe
kreuz und quer
das ist sehr schön
trinkt

GENERALIN
Diese Leute
sagt mein Mann
die nur alles
zerstören wollen
die alles zersetzen
die alles heruntermachen
wirft die Karten hin

SCHRIFTSTELLER *legt die Karten auf den Tisch*
Gewonnen
Ich habe gewonnen

GENERALIN
Ihre Natur ist eine
die immer alles verändern will
Schüsse

SCHRIFTSTELLER
Hören Sie
hören Sie
Schüsse
Wenn wir glücklich sind
beispielsweise hier im Jagdhaus
machen wir uns etwas vor
aber auch wenn wir unglücklich und nichts
als unglückliche Empfindung sind
existieren wir nur in dem Zustand der Täuschung
Was wir sehen
ist etwas Anderes gnädige Frau
Dieser Mensch, sagen wir
und er ist ein Anderer
diese Luft ist eine andere die ich einatme
Diese Karten
hält die Karten in die Luft
sind andere verstehen Sie
Und alles ist so pathetisch
daß wir es kaum ertragen können
Die Vorgänge immer nur täuschend ähnliche
Unser Verstand ein anderer
Aber vollkommene Durchdringung ist der Tod
eine verkrüppelte ist die Welt
und die menschliche Natur eine verkrüppelte
und sprechen wir von der Schönheit
ist es doch nur mikroskopisch gemeint
Was uns am schönsten entgegenkommt
Verstümmelung gnädige Frau
Zwar kommen Menschen
aber es sind andere
verstehen Sie
Diese ganze Jagdgesellschaft
ist eine andere
Ganz plötzlich eine Redewendung gnädige Frau
das ist philosophisch
aber die ganze Philosophie ist ein Unsinn
legt die Karten auf den Tisch
Gewonnen
Generalin nimmt die Karten, mischt, gibt
Schriftsteller trinkt, nimmt fünf Karten

Die Umwelt gnädige Frau
hat ein Ohr
gegen den Kopf
und zur Geisteszerstörung
ist ihr jedes Mittel recht
wirft die Karten auf den Tisch, ruft
Gewonnen

GENERALIN *mit beiden Händen auf den Tisch schlagend*
Sie haben gewonnen
Sie haben gewonnen
Schüsse

Vorhang

Nach der Jagd

General, Generalin, die Minister, Prinz, Prinzessin sowie der Schriftsteller trinkend und rauchend am Tisch
Gegen fünf Uhr früh

GENERAL
Mein lieber Herr Schriftsteller
das Leben in der Generalsuniform
ist zu allen Zeiten
keine Sache für einen sensiblen Menschen
oder gar für einen außerordentlich empfindlichen Charakter
Wenn es sich allerdings um einen freien Menschen handelt
wie Ihre Person
Schriftsteller lacht laut
Die mit ihrer Freiheit machen kann was sie will
Schriftsteller lacht laut
Aber das ist eine andere Sache
Jedenfalls sind Sie ein Mensch
der Augen und Ohren offen hat
und der nichts verschweigt
das ist seine Natur

ERSTER MINISTER
Sechsundzwanzig Hasen

Herr General
vier Fasane
zwei Dachse
Das ist absolut ein Rekord

GENERAL

Meine Herren
allerdings
in dieser kürzesten Zeit
Dabei müssen Sie meine Kurzsichtigkeit
in Betracht ziehen
und den Umstand
daß ich in Stalingrad meinen linken Arm
verloren habe

GENERALIN

Er ist ihm abgerissen worden

GENERAL

Abgerissen meine Herren
abgerissen

GENERALIN

Mein Mann wäre
beinahe verblutet

SCHRIFTSTELLER *zur Generalin*

Beinahe verblutet

GENERAL

Wenn ich Ihnen sage
meine Herren
eingekesselt
ausgeharrt
bis zum Letzten

GENERALIN *zu den Ministern*

Die größte Schlacht
in der Geschichte aller Schlachten

GENERAL

In der Geschichte aller Schlachten
zum Schriftsteller
Zweifellos existieren Sie in einer anderen Welt
Sie sind ein Kommentator
trinkt ein Glas Schnaps vollkommen aus

GENERALIN

Mein Mann hat strengstes
Alkoholverbot

GENERAL
Absolutes meine Herren
absolutes
SCHRIFTSTELLER
Das Unheil kommt
wie wir wissen
aus allen menschlichen Naturen
und die ganze Geschichte
ist nichts als ein Unheil
Und wenn wir in die Zukunft hineinschauen
sehen wir nichts anderes
GENERALIN
Übermorgen geht mein Mann
in die Klinik
sozusagen auf ein paar Tage
GENERAL *zu den Ministern*
Sozusagen auf ein paar Tage
wissen Sie
Mir kommt dieser Klinikaufenthalt
gerade recht
Eine Atempause müssen Sie wissen
in meiner großen Anstrengung
mit meiner Schrift weiterzukommen
GENERALIN
Vorher hat mein Mann nocheinmal
auf die Jagd gehen wollen
ZWEITER MINISTER
Der Herr General
ist als Jäger eine Berühmtheit
zu seinem Kollegen
Der Herr General hat die höchsten Auszeichnungen
die es auf dem Gebiete der Jagd gibt
GENERAL *zu den Ministern*
Wissen Sie
auf der Jagd regeneriere ich mich
Da schöpfe ich Luft
da bin ich ein anderer Mensch
ein neuer Mensch
Meine Frau allerdings verabscheut die Jagd
Sie steht unter dem Einfluß eines künstlichen Gefühls
müssen Sie wissen

welches ihr die Jagd verleidet
Und sie steht unter dem Einfluß
zeigt auf den Schriftsteller
dieses Mannes
zum Schriftsteller
Mit solchen Ideen
wie Sie sie haben
verderben Sie die unschuldigen Köpfe
damit machen Sie die durchaus brauchbaren
zu vollkommen unbrauchbaren
Eine verrückte Gesellschaft
die so etwas duldet
lacht, zu den Ministern dann
Die Komplikationen gehörten abgeschafft meine Herren
abgeschafft

GENERALIN
In ein paar Wochen ist mein Mann wieder im Amt
mit größter Energie
geht er
nach seinem Klinikaufenthalt
wieder an die Arbeit
zu den Ministern
Wenn Sie diese unglaublichen Mengen
von staatspolitischer Lektüre gesehen hätten
die er sich hat kommen lassen
und die ich ihm in die Klinik hineintragen muß
Mein Mann ist sehr aufmerksam
was die Entwicklung betrifft

GENERAL
Die weltpolitische Entwicklung
die sich jetzt immer mehr zuspitzt meine Herren

GENERALIN
Dann bin ich beauftragt ihm tagtäglich
die allerneuesten Zeitungen
und die wichtigsten Zeitschriften
in die Klinik zu bringen
zu den Ministern
Mein Mann hat viel vor
zum Prinzen
Darunter leidet natürlich der Wald
Beschäftigt er sich mehr mit Politik

tritt der Wald in den Hintergrund
zu den Ministern
Aber der Prinz sorgt dafür
daß der Wald nicht vernachlässigt wird

GENERAL *ruft aus*
Einen solchen Heger wie den Prinzen
können Sie suchen

SCHRIFTSTELLER
Wie ich gelesen habe
ist es ein ausgesprochenes Fasanenjahr

GENERAL
Ein Fasanenjahr
ein Fasanenjahr
hören Sie
ruft aus
Und ganze vier Fasane

ERSTER MINISTER
Sehr schöne Fasane

ZWEITER MINISTER
Sehr schöne Fasane

GENERAL
Durch Ablenkung
beispielsweise durch die Jagd
meine Herren
Konzentration
Ablenken
auf die Konzentration
verstehen Sie
zum Schriftsteller
Konzentration ist alles
nicht wahr

GENERALIN *über den Schriftsteller*
Er läßt sich nicht im geringsten stören
er duldet nicht die geringste Irritation
er schließt sich vollkommen ab
er läßt niemand an sich herankommen
Und einer der Sätze meines Mannes ist ja auch
Diese fortwährenden Störungen von außen
müssen ein Ende haben

GENERAL
Der Prinz schirmt mich ab

der hält mir das Lästige vom Leib
und was noch viel wichtiger ist
vom Kopf
und dazu kann ich mit ihm auch noch
über die Natur sprechen
was ich mit keinem Menschen sonst kann

GENERALIN

Nicht irritieren lassen
sagt mein Mann immer
nicht irritieren lassen

GENERAL *zu den Ministern*

Die Zeit ist gekommen
in welcher alles verschärft werden muß
eine Strafverschärfung muß eintreten
es handelt sich wie wir sehen
um eine vollkommen verschlampte Gesellschaft
um eine durch und durch vernachlässigte Welt

PRINZ

Ein paar Wochen Herr General
und wir sehen Sie wieder hier im Jagdhaus
In der schönen Jahreszeit
In der Zwischenzeit ist hier
die Arbeit getan

GENERALIN *zu den Ministern*

Ein derartig großer Besitz
erfordert ständig die größte Aufmerksamkeit
von Hunderten von Leuten
In allen Einzelheiten muß auf einen solchen Besitz
fortwährend das Augenmerk gerichtet werden
Wenn wir diesen Wald nicht hätten
mein Mann wäre nicht
was er ist
Die Armee
und den Wald
die Unruhe in der Stadt
und die Ruhe auf dem Land
abwechselnd wissen Sie
Die Minister nicken

SCHRIFTSTELLER

Das Eine
wie das Andere

GENERAL *zu den Ministern*

Der Prinz ist der vorzüglichste Waldhüter
Absolvent der Hochschule für Bodenkultur in Wien
ein durchaus wissenschaftlicher Charakter
der aber den Boden unter den Füßen
nicht verloren hat
Seine Publikationen
erscheinen regelmäßig in Fachzeitschriften
und erregen in der Fachwelt Aufsehen
Ein solcher fundierter Mensch kann sich erlauben
Gedichte zu schreiben in der Freizeit

GENERALIN

Ohne den Prinzen
nichts
gar nichts
direkt zum Prinzen
Sie genießen das größte Vertrauen
meines Mannes
zu den Ministern
Gehen und Denken
Denken und Gehen
verstehen Sie
Der Wald ist es

GENERAL

Die Tatsache daß auf der Jagd
die Gedanken geschärft werden
Das Einatmen der Luft
das Warten
Vortasten
Abtasten verstehen Sie
Die Stille in die hinein
dann der Schuß fällt

ZWEITER MINISTER

Der Herr General
hat mir erklärt
wie man die Schußwaffe hält

GENERAL *darauf plötzlich*

So
zeigt es
Nicht so
zeigt es und lacht

ZWEITER MINISTER *zur Generalin*

Es ist zehn Jahre her
daß ich zum letztenmal
auf einer Jagd gewesen bin
In den Dolomiten gnädige Frau

GENERAL

Das abwechselnde Gehen
Gehen und Stehen
und Denken
zum Prinzen
Lepus europaeus
Ovis musimon
Cervus sika
Zweiundzwanzig Jäger heute
viel neue Gesichter
zu den Ministern
Bauernburschen
Holzknechte
und die Söhne von Holzknechten
Ein zum Bersten volles Wirtshaus
zum Prinzen
Die höhern Bezüge für die Jäger
sind morgen fällig
Prinz notiert sich alles
die höhern Löhne
für die Holzfäller
Wenn man die Leute
nur halten könnte
zu den Ministern
Sie gehn einfach weg in die Fabrik
oder man zahlt das Doppelte
mir ist es schon gar nicht mehr möglich gewesen
alle zu erkennen
Mit den meisten bin ich
in dieselbe Schule gegangen
Asamer mit einem Arm voll Hartholz herein, um nachzulegen
Asamer
wie gehts
Ist die Frau wieder gesund
zu den Ministern
Beseitigung eines Kropfes

müssen Sie wissen
eine völlig verpatzte Operation
zum Asamer
Wie gehts deiner Frau
was macht ihre Lunge
Einmal ist es besser
einmal schlechter
lacht
plötzlich ist es aus
Im Ernst Asamer
hustet sie noch

ASAMER
Nein Herr General

GENERAL
Nein Herr General
Und die Kinder
zu den Ministern
man muß nach den Kindern fragen
nicht nur bei den einfachen Leuten
zuerst nach der Frau und dann
nach den Kindern
zum Asamer
Alle gute Zeugnisse
die besten Zeugnisse die jemals Kinder
in dieser Dorfschule bekommen haben
zu den Ministern, während Asamer im Ofen nachlegt
Zu Weihnachten lernt meine Frau ihnen allen
ein sogenanntes Weihnachtsspiel ein
Lauter Engel alles weiß wissen Sie
Und von oben herunter hört man
die Stimme des Herrn
zum Asamer
Deine Kinder sagen die Verse
immer so schön auf
keins ist steckengeblieben
zu den Ministern
Dann gibts immer
ein gutes Nachtmahl
und natürlich Geschenke für die Kinder
die meine Frau ausgesucht hat
Sie fährt vor Weihnachten in die Stadt

mit dem Wagen
und kauft für die Kinder ein
zum Asamer
Und was macht das Bein Asamer
gehst du zum Doktor
zu den Ministern
Mit einem Raucherbein
ist nicht zu scherzen
zum Asamer
Mit einem Raucherbein
muß man regelmäßig
zum Arzt gehen
regelmäßig
zum Asamer
Bist du noch Mesner

ASAMER
Ja Herr General

GENERAL
Und Totengräber auch

ASAMER
Ja Herr General
Asamer steht auf und geht hinaus

GENERAL *zu den Ministern*
Einen solchen Menschen
gibt es nicht mehr meine Herren

GENERALIN *zu den Ministern und zu Prinz und Prinzessin*
Essen Sie
essen Sie doch
gibt dem Schriftsteller eine Wurstscheibe

SCHRIFTSTELLER *mit der Wurstscheibe in der Hand*
Eine Idee ist es
an die wir unsere Zeit verschwenden
die in jedem Falle zu nichts führt
Ein Menschenleben gnädige Frau
ist am Ende nichts
als eine menschliche Katastrophe

GENERAL
Der Sohn des Fleischhauers
Der Sohn des Lehrers
Die Söhne des Arztes
Die Söhne der Holzknechte

Die Förstersöhne
die Kinder des Prinzen
alle lernen
die Verse meiner Frau
die sie verfaßt
Ein Weihnachtsspiel meine Herren
durchaus ein Theaterstück
und da
zeigt in die ihm gegenüberliegende Ecke
da in der Ecke
sind die Geschenke ausgebreitet
Und es ist für jedes Kind
etwas Individuelles
etwas ganz und gar Individuelles
Originelles meine Herren
schon vor zwanzig Jahren
ein solches Weihnachtsspiel meine Herren
Der Prinz spielte
in dem Theaterstück
einen Prinzen
und die Prinzessin
eine Prinzessin

GENERALIN

Und mein Mann
hat die Stimme des Herrn gesprochen

GENERAL

Die Verbeugung des Prinzen
vor dem König
ist allen noch als die schönste Verbeugung
in Erinnerung
zum Prinzen
Da waren Sie vierzehn
zu den Ministern
Seine Mutter existierte davon
daß sie bei den verschiedensten Jagdgesellschaften
oder Hochzeitsgesellschaften
oder bei den verschiedensten Begräbnissen aufkochte
Und sie besserte die Wäsche aus in den Gutshöfen
und auf den Schlössern
zum Prinzen
Ein ungeheueres Vermögen

das Ihre Vorfahren in Böhmen verloren haben
Der Vater der Prinzessin
ist Leutnant gewesen
und in Finnland gefallen
Ich kannte ihn wie er noch ein Kind war
ich höre seine Stimme
diese kindliche
diese kindliche Stimme
zur Prinzessin
Zu den Fronleichnamsprozessionen durfte Ihr Herr Vater
das Marienbild tragen
Das war eine besondere Auszeichnung
Einmal stürzte Ihr Herr Vater mit dem Marienbild
und verletzte sich am Kopf
Eine schwere Kopfverletzung müssen Sie wissen
zum Schriftsteller
Die Zeit
ist über alles
weggegangen
weggegangen
weggegangen
Ein Onkel des Prinzen
ist französischer Botschafter in Wien gewesen
und ein anderer Onkel des Prinzen
war Attaché an der französischen Botschaft
zu den Ministern
Der Prinz schreibt
in seiner Freizeit
Gedichte
ab und zu liest er meiner Frau
daraus vor
Alle schreiben hier
alle
Das ist das merkwürdigste
daß hier alle schreiben
zum Schriftsteller
Habe ich recht daß
was Sie schreiben
etwas durchaus Philosophisches ist
Wenn Sie es auch als Komödie bezeichnen
Oder habe ich recht

wenn ich sage
was Sie schreiben ist Komödie
während Sie selbst behaupten
es handle sich um Philosophie
lacht
Wer hier lebt
schreibt
wenn er nicht Holzknecht ist
schreibt er
sogar die Förster schreiben hier
müssen Sie wissen
zu den Ministern
einerseits gehen die Leute viel
andererseits schreiben sie
gehend und schreibend
das ist ihre Abwechslung
zum Schriftsteller
Wie Sie das letztemal dagewesen sind
haben Sie gerade eine Komödie geschrieben
oder sagen wir besser etwas
das Sie selbst als eine Komödie bezeichnen
ich selbst empfinde nicht als Komödie
was Sie als Komödie bezeichnen
Eine Komödie ist ja doch ein ganz und gar feststehender Begriff
damit hat was Sie schreiben nichts zu tun
Was Sie schreiben
hat mit einer Komödie nichts zu tun
unter einer Komödie verstehe ich etwas anderes
aber auch unter einem Schauspiel
Eine Komödie sagen Sie
und das Ganze hat mit einer Komödie nichts zu tun
zu den Ministern
Aber über Begriffe darf man sich nicht
mit dem Schriftsteller unterhalten
Vieles das Sie hier im Jagdhaus beobachtet haben
ist in dieser von Ihnen geschriebenen
und auch aufgeführten
wohlgemerkt auch aufgeführten
Komödie
Ich gehe nicht in Theaterstücke
grundsätzlich nicht

etwas Widerwärtiges ist das Theater
an dieses Widerwärtige bin ich fortwährend erinnert
bin ich im Theater
wenn ich mir auch nicht erklären kann
was dieses Widerwärtige ist
aber es ist widerwärtig
Aber vielleicht beschäftigen Sie sich gerade deshalb mit dem Theater
weil es Ihnen widerwärtig ist
Mir sind die Schauspieler zuwider
spricht ein Schauspieler
habe ich Kopfschmerzen
Auch mein Vater hat die Schauspieler gehaßt
Das Agieren auf einer Bühne
verursacht mir Übelkeit
tatsächlich ist mir nur der Dilettantismus auf dem Theater erträglich
die Vorstadtbühne
Liebhaberaufführungen in geschlossener Gesellschaft verstehen Sie
nicht aber ein Theater
als hohe Kunst
zum Schriftsteller
Mein lieber Herr Schriftsteller
Sie betreiben eine verabscheuungswürdige Kunst
meine Frau bewundert Sie
zu den Ministern
Meine Frau braucht einen solchen Menschen
für die Jagd hat sie nichts übrig
und die Einsamkeit ist eine quälende
zum Schriftsteller
Was Sie hier sehen
bringen Sie auf die Bühne
zu den Ministern
Als Komödie meine Herren
Denn der Herr Schriftsteller ist ein Komödienschreiber
Köchin herein mit mehreren Weinflaschen

GENERALIN

Stellen Sie die Flaschen da hin
zum Ofen
Köchin stellt die Flaschen am Ofen ab und geht wieder hinaus

Generalin zum General
Die Anna braucht einen Mann
einen Mann verstehst du
GENERAL *zu den Ministern*
Gedulden Sie sich meine Herren
gedulden Sie sich
Sie wollen meine Entscheidung
Ich habe mich entschieden
zu den Anderen
Meine Krankheit
sagen die Herren
aber sie meinen natürlich
meine politische Unzuverlässigkeit
Meinen Klinikaufenthalt
Die Rekonvaleszenz
meine Körperschwäche verstehen Sie
und die aus dieser Körperschwäche heraus resultierende
Geistesschwäche
sagen sie
aber sie meinen meine politische Unzuverlässigkeit
Daß ich zurücktrete als ein verdienstvoller Mann
der am Tage seines offiziellen Rücktritts
ausgezeichnet wird mit dem höchsten Orden
Ein Bankett beim Kanzler etcetera
Der höchste Orden
zu den Ministern
Gedulden Sie sich
Sie müssen sich gedulden
man muß sich gedulden
trinkt
Alle schreiben
alle schreiben hier
Kartenspielen
oder Nichtstun
oder schreiben
Unser Schriftsteller
schreibt eine Komödie
und alle die wir hier sitzen
kommen in seiner Komödie vor
Der Vorhang geht auf
Da sitzen wir

und sind eine Komödie
zum Schriftsteller
Fortwährend notieren Sie
auch wenn es den Anschein hat
Sie notieren nicht
Sie hören
aufmerksam hören Sie
und selbst wenn Sie wegschauen
zu den Ministern
Sehen Sie diese Innenwände in seinem Gehirn
schreibt er voll
voll
ein vollgeschriebenes Gehirn
ein gänzlich vollgeschriebenes
und dadurch völlig verfinstertes Gehirn
mit einer solchen Geschwindigkeit vollgeschrieben
daß schon alles übereinandergeschrieben ist
wie ein Wahnsinniger
Die ganze Innenseite seines Gehirns
die er selber schon nicht mehr lesen kann
zum Schriftsteller
Dann stellen Sie fest daß Sie selbst
überhaupt nicht mehr lesen können
was Sie in Ihrem Gehirn
aufgeschrieben haben
zu den Ministern
wie ein Wahnsinniger
meine Herren
Und meine Frau verlangt von mir
daß ich den Herrn Schriftsteller
persönlich einlade
Dann schreibe ich dem Herrn Schriftsteller
Kommen Sie Herr Schriftsteller
korrekt meine Herren müssen Sie wissen
Kommen Sie wir veranstalten eine Jagd
müssen Sie wissen
zum Schriftsteller
Mit einer solchen Geschwindigkeit in Ihrem Gehirn
und mit einer solchen Rücksichtslosigkeit
was Sie in Ihrem Wahnsinn geschrieben haben
dadurch ist

wer so handelt
ein unzurechnungsfähiger Mensch meine Herren
zu den Ministern
Eine Komödie hören Sie
Eine Komödie
Und wenn wir das Ganze abreißen
wie ein Stück Papier einfach herunterreißen
abreißen
reißt die Komödie ab
trinkt
Urplötzlich
zum Schriftsteller
Nicht wahr
hat aufgehört
ist abgerissen

SCHRIFTSTELLER, *nachdem der General verstummt ist*
Die Leute die überall anstoßen
weil ihr Kopf eine Linie ist
und die Oberfläche der Welt
eine Verunstaltung
Wir geben ganz plötzlich auf
Wir müssen allein sein
wir sterben ab
wir sind tot
sowie wir einen Menschen anschauen
mit aller Deutlichkeit
sehen wir
daß er tot ist
eine Existenz nach der andern
und was wir hören
ist etwas Totes
Was uns gesagt wird
worin wir uns schulen
fortwährend üben und schulen müssen
so gesehen müssen wir sagen
da geht ein Toter
wenn wir einen Menschen sehen
der vor uns geht
Wenn wir wissen
wissen wir
daß wir tot sind

zur Generalin
Aber natürlich lieben wir
unsere Absterbensmöglichkeiten
wir lieben sie
und notieren sie
und veröffentlichen sie
Wir vertrauen
auf den Tod
Dieser Mensch denke ich
und alles ist tot
so haben wir ständig Angst
diesen oder einen anderen Menschen zu treffen
weil wir dann sehen
wir sind tot
Wenn wir aufwachen sehen wir
daß es nichts ist
woran wir Interesse haben
nichts sagen wir uns nichts
Keine Menschenseele
keine Wissenschaft
und nicht die geringste Natur
Wir gehen in lauter tödliche Beschäftigungen hinein
Prinz steht auf und holt zwei Flaschen vom Ofen, entkorkt die Flaschen und schenkt allen ein
Wir wachen auf und sehen
kein Interesse
wir machen diese Feststellung
interesselos
Weil wir kein Interesse haben können
sagen wir
Und wir frühstücken und ziehen uns an gnädige Frau
und nehmen Kontakt auf
In eine Arbeit flüchten gnädige Frau
nehmen eine Axt in die Hand
oder setzen uns an den Schreibtisch
oder wir hetzen auf den Bahnhof
oder wir verfassen etwas
oder wir nehmen nurmehr noch Medizin ein
fortwährend Medizin gnädige Frau
Wir wachen grundsätzlich in Interesselosigkeit hinein auf
gleich ob wir unter Menschen sind

oder nicht
Prinz setzt sich
ob wir in der Stadt aufwachen oder nicht
in dem immer gleichen Zustand der Interesselosigkeit
diese Feststellung machen wir
weil wir nicht wieder einschlafen können
und weil wir uns nicht umbringen
immer wieder noch nicht gnädige Frau
das ist es
weil wir nicht die Kraft dazu haben
Die gleichen Menschen
die gleichen Bedürfnisse gnädige Frau
die gleichen Verhältnisse und Vorgänge
dadurch sehen wir ganz deutlich gnädige Frau
die Natur
die ganze Natur als Interesselosigkeit gnädige Frau
und Krankheit
genau genommen als Todeskrankheit
Wir wachen tagtäglich in unsere Todeskrankheit hinein auf
wir schlafen ein und wachen
in der immer gleichen Todeskrankheit der Natur auf
und sind immer in Interesselosigkeit gnädige Frau
alles andere Lüge
dieses fortwährende ununterbrochene Gehen
in absoluter geistiger und körperlicher Bewußtlosigkeit
gnädige Frau
ist eine Tatsache
Wir fürchten
was wir tun
wie wir fürchten
was wir nicht tun
Und außerdem existiert alles nur in der Einbildung
daß unsere Existenz eine erträgliche Existenz sei gnädige Frau
dadurch existieren wir
Aber wir reden nicht darüber
und wenn wir darüber reden
reden wir so darüber
als wäre
über was wir reden
nicht wirklich
überhaupt nicht wirklich gnädige Frau

Ununterbrochen reden wir über etwas Unwirkliches
damit wir es ertragen
aushalten
weil wir unsere Existenz zu einem Unterhaltungsmechanismus
gemacht haben
zu nichts als zu einem schäbigen Unterhaltungsmechanismus
gnädige Frau
zu einer Kunstnaturkatastrophe gnädige Frau

GENERAL *unbeweglich zu Boden schauend mit ausgestreckten Beinen wiederholt*
Eine Kunstnaturkatastrophe

SCHRIFTSTELLER
Wenn wir aufwachen
stellen wir fest
wir leiden
an Willensschwäche
weil wir im Grunde aus nichts anderem zusammengesetzt sind
als aus dem Tode
empfinden wir ein erträgliches Leben
Empfindungen gnädige Frau
empfinden wir
Aber die Wahrheit sprechen nur die Verstorbenen
Bin ich mit dem General zusammen
höre ich gern etwas über Waffenkunde
insbesondere über die Ballistik gnädige Frau
er aber klammert sich an einen philosophischen Gegenstand
Unter diesem Umstand
kommt kein Gespräch zustande
Über die Literatur will er sprechen
beispielsweise über Heinrich von Kleist
ich aber
rede nicht gern darüber
Die Kriegswissenschaft interessiert mich gnädige Frau
er aber fragt mich
nach meiner Komödie
auf diese Weise kommen Ihr Mann und ich
gleich in Schwierigkeiten
Bald schweigen wir
Dann kommt es daß der General sagt
ich beobachtete
Diese Art der Beobachtung gnädige Frau

Von welcher nach und nach alle irritiert sind
General steht auf, geht zum Plattenspieler, legt die Haffnersymphonie auf und geht wieder auf seinen Platz zurück, dann in gleicher Stellung wie vorher. Sehr leise Musik
Der Schuldbegriff ist ein Unsinn gnädige Frau
Wenn wir Angst haben
vor Beschreibung
das ist Unsinn
Eine Komödie stellen Sie sich vor
in welcher ein General eine Hauptrolle spielt
und dieser General hat eine Todeskrankheit
in Stalingrad haben sie ihm den linken Arm abgerissen
Und eines Tages geht er in den Wald
und verletzt sich mit der Motorsäge am Bein
und zur gleichen Zeit wird festgestellt
daß er den Grauen Star hat
Dazu zwei Minister gnädige Frau
die den General zum Rücktritt zwingen
eine Jagd stelle ich mir vor
eine Jagdgesellschaft
in einem unserer schönsten Jagdhäuser
in einer gänzlich von der Außenwelt abgeschnittenen Gegend
Eine Privatgegend müssen Sie sich vorstellen
Zwei gutgekleidete Herren
werden von dem General auf die Jagd eingeladen
Dazu ein Prinz
auf der Seite des Generals
die Prinzessin
so charmant wie schweigsam
Und möglicherweise gnädige Frau
gestatte ich mir den Borkenkäfer auftreten zu lassen
zu den Ministern
Das Beschriebene meine Herren
ist etwas Anderes
wie ja schon das Beobachtete etwas Anderes ist
Alles ist anders
zur Generalin
möglicherweise eine Philosophie
würde der General sagen
Kommt ein einarmiger General vor in meinem Stück
ist es ein Anderer

Und möglicherweise gnädige Frau wird gesagt
ich selbst sei in meinem Theater
Aber es ist ein Anderer

GENERALIN *über den General*
Wenn man in so hohem Maße angestrengt ist
wie mein Mann
ein so hohes
ein so wichtiges Amt müssen Sie wissen
in einer derartig rücksichtslosen Zeit
schenkt sich Wein ein, dann auch den andern
Mit Fremdsprachen habe ich es versucht
mit Fremdsprachen
mit naturwissenschaftlichen Studien
verschüttet Wein, wirft ein Glas um, stellt es wieder auf, lacht
Selbst mit Fremdsprachen

SCHRIFTSTELLER
Der Mensch ist in sein Unglück
eingeschlossen
vernarrt
Über den Borkenkäfer weiß ich jetzt alles
Und über den Grauen Star gnädige Frau

GENERALIN *zum Fenster hinausschauend*
Klar
Kalt und klar

SCHRIFTSTELLER
Es ist eine klare Nacht
Alle schauen hinaus, nur der General verändert sich nicht

PRINZESSIN *nach einer Pause und länger als alle Andern zum Fenster hinausschauend*
Schön

SCHRIFTSTELLER
Und alles wegwischen
alles
Nichts auf die Dauer entstehen lassen
Wissenschaften
Freundschaften
Verwandtschaften
wegwischen
wegwischen
So war ich über zwei Jahrzehnte damit beschäftigt
alles wegzuwischen

alles Entstandene gleich wieder wegzuwischen
GENERALIN *noch immer hinausschauend*
Kalt und klar
SCHRIFTSTELLER *zieht den Lermontow aus der Weste, schlägt das Buch auf und liest vor:*
Das Ereignis dieses Abends hatte einen ziemlich tiefen
Eindruck auf mich gemacht
und meine Nerven erregt
Ich weiß nicht genau
ob ich jetzt an Vorherbestimmung glaube oder nicht
aber an diesem Abend glaube ich fest daran
Der Beweis war verblüffend
und ob ich auch über unsere Ahnen und ihre diensteifrige Astrologie spotte
war ich doch selbst unwillkürlich
in ihr Fahrwasser geraten
aber ich machte rechtzeitig auf diesem gefährlichen Weg halt
und da ich es mir zur Regel gemacht habe
nichts bedingungslos zu verwerfen
und mich auf nichts blind zu verlassen
so warf ich die Metaphysik über Bord
und richtete den Blick wieder auf den Boden zu meinen Füßen
Und diese Vorsicht war sehr am Platze
ich wäre fast gefallen
denn ich stieß auf etwas Dickes und Weiches
aber allem Anschein nach nicht mehr Lebendiges
ich bückte mich
das Mondlicht fiel schon gerade auf die Straße
und was sah ich
Vor mir lag ein Schwein
das von einem Säbelhieb mitten entzwei gespalten war
klappt das Buch zu, schenkt sich Wein ein, während er sich Wein einschenkt plötzliches Auflachen aller, außer dem General, Schriftsteller in das fortgesetzte Lachen hinein
Lermontow
zu den Ministern
Lermontow meine Herren
General steht auf und geht in das Nebenzimmer, kaum ist der General im Nebenzimmer, lachen wieder alle laut auf
Herkunft
Ursprung

Abstammung
alles wegwischen
verstehen Sie
alles wegwischen
unterstützt, was er jetzt sagt, mit der rechten Hand
weg
weg
weg
Man muß sich freimachen
Dann aufeinmal
läßt diese Kraft naturgemäß nach
Das Alter verstehen Sie
Die Leute kaufen sich an
sichern sich ab
eine Wissenschaft
eine Partei
eine Kunst ist es
alle suchen aufeinmal Zuflucht
plötzlich werden sie katholisch
oder werden wieder katholisch
um nicht verrückt zu werden
In dem Zustand der Unsicherheit
der Bodenlosigkeit
der Zügellosigkeit zu verharren gnädige Frau
das ist es
diese unverständliche Sprache sprechen
diese einzige gültige unverständliche Sprache
sich gegen Verständlichmachen zur Wehr setzen
Generalin wirft mit einer Handbewegung ein Glas um, läßt das Glas, schenkt sich ein neues ein
Weil wir aufgegeben haben
sind wir menschlich
über den General
In letzter Zeit
erinnert er sich sehr oft
an Paulus
der am Abend vor seiner Gefangennahme
zum Generalfeldmarschall ernannt worden ist
weil Hitler glaubte
Paulus würde sich umbringen
aber auch Paulus hat das Leben

der Unsterblichkeit vorgezogen

GENERALIN

Jedesmal wenn er in den Wald geht
und er findet ein erfrorenes Wild
denkt er an die erfrorenen Soldaten

SCHRIFTSTELLER

An die Tausende und Hunderttausende
Nichts als Erfrorene gnädige Frau
Die Faszination zu hören
was ich damals gehört habe
sagt er
das erfrorene Wild
sagt er
und sofort
alle diese Gesichter
sehe ich einen Ast auf dem Boden
glaube ich
ein Arm
ein Fuß
der Kopf eines Toten
zu den Ministern
Wenn man den General aufmerksam beobachtet
es wird langsam hell
stellt man fest
daß nicht die geringste Resignation
in ihm ist
Und hören Sie
ein General mit sechzig
zur Generalin
Was mich am tiefsten beeindruckt hat
zu den Ministern
und worin sein scharfer Verstand
sich in der ungewöhnlichsten Klarheit ausdrückt meine Herren
ist das Kapitel
in welchem der General die letzte Zusammenkunft
mit dem Generalfeldmarschall Paulus beschreibt
Er hat einen Blick für die Toten
wie ja überhaupt der Tod in seiner Schrift
die größte Rolle spielt
merkwürdigerweise beschäftigt ihn der Tod
am tiefsten

Seine Beschreibung der Erfrorenen
ist die meiner Meinung nach ungewöhnlichste und überzeugendste
Anschauung des Todes
Ein Schuß aus dem Nebenzimmer
Die Generalin springt auf, alle stehen auf, schauen auf die Nebenzimmertür. Der Prinz geht zur Tür und öffnet sie. Man sieht auf den im Nebenzimmer liegenden toten General
Asamer und Köchin herein
Schriftsteller stellt die Musik ab

GENERALIN *zur Köchin*
Bringen Sie die Waschschüssel
schnell
die Waschschüssel
Stille
Hacken und Sägen fangen an, den Wald niederzulegen, immer intensiver, immer lauter

SCHRIFTSTELLER
Hören Sie gnädige Frau
hören Sie

GENERALIN
Die Holzfäller

SCHRIFTSTELLER
Wie gut sie arbeiten

Ende

Notiz zur Jagdgesellschaft

Die Schauspieler als Darsteller tragen, mit
Ausnahme des Generals in Generalsuniform und
des Schriftstellers, Jagdkostüme. Das Stück
ist in drei Sätzen geschrieben, der letzte Satz
ist der »langsame Satz«.

Th. B.

Die Macht der Gewohnheit

Ich selbst habe als junger Mensch zwischen der Sorbonne und der Komödie geschwankt.

Diderot

. . . aber das Geschlecht der Propheten ist erloschen . . .

Artaud

Personen

CARIBALDI, *Zirkusdirektor*
ENKELIN
JONGLEUR
DOMPTEUR
SPASSMACHER

Wohnwagen Caribaldis

Erste Szene

Ein Klavier links
Vier Notenständer vorn
Kasten, Tisch mit Radio, Fauteuil, Spiegel, Bilder
Das Forellenquintett auf dem Boden
Caribaldi etwas unter dem Kasten suchend

JONGLEUR *tritt ein*
Was machen Sie denn da
Das Quintett liegt auf dem Boden
Herr Caribaldi
Morgen Augsburg
nicht wahr

CARIBALDI
Morgen Augsburg

JONGLEUR
Das schöne Quintett
hebt das Quintett auf
Ich habe übrigens
den französischen Brief bekommen
stellt das Quintett auf einen der Notenständer
Stellen Sie sich vor
eine Garantiesumme
Die Erfahrung zeigt aber
daß man ein Angebot
nicht gleich
annehmen soll
Das zeigt die Erfahrung
richtet das Quintett auf dem Notenständer
In Bordeaux vor allem
den Weißen
Was suchen Sie denn da
Herr Caribaldi
nimmt das am Notenständer lehnende Cello, wischt es mit dem rechten Ärmel ab und lehnt es wieder an den Notenständer
Verstaubt
alles verstaubt
Weil wir auf einem solchen
staubigen Platz spielen
Es ist windig hier

und staubig

CARIBALDI

Morgen Augsburg

JONGLEUR

Morgen Augsburg
Warum spielen wir hier
frage ich mich
Warum frage ich
Das ist Ihre Sache
Herr Caribaldi

CARIBALDI

Morgen Augsburg

JONGLEUR

Morgen Augsburg
natürlich
Das Cello
auch nur ein paar Augenblicke offen
stehenzulassen
bläst Staub vom Cello ab
Eine Nachlässigkeit
Herr Caribaldi
nimmt das Cello
Das Maggini
nicht wahr
Nein
das Salo
das sogenannte
Ferraracello
lehnt das Cello wieder an den Notenständer und tritt einen Schritt zurück, das Cello betrachtend
Eine instrumentale
Kostbarkeit
Aber es kann natürlich
nicht nur
auf asphaltierten Plätzen
gespielt werden
Nördlich der Alpen
das Salo
das Ferraracello
südlich der Alpen
das Maggini

oder
vor fünf Uhr nachmittag
das Maggini
und nach fünf Uhr nachmittag
das Ferraracello
das Salo
bläst das Cello ab
Ein aussterbender Beruf
plötzlich zu Caribaldi
Was suchen Sie denn

CARIBALDI
Das Kolophonium

JONGLEUR
Das Kolophonium
Natürlich
Das Kolophonium
Immer wieder das Kolophonium
weil sie von der unter Instrumentalisten berühmten
Fingerschwäche befallen sind
Haben Sie denn nicht
ein zweites
ein sogenanntes
Reservekolophonium
Als Kind
Sie wissen ich spielte
die Violine
als Kind
hatte ich zwei smaragdgrüne Schachteln
in jeder dieser smaragdgrünen Schachteln
hatte ich ein Reservekolophonium
Das worauf es ankommt
immer
in Reserve
wissen Sie
Man muß
ist man ausübender Instrumentalist
Kolophonium in Reserve haben

CARIBALDI
Morgen in Augsburg

JONGLEUR
Morgen in Augsburg

Herr Caribaldi

CARIBALDI

Da unter dem Kasten
muß es sein

JONGLEUR *bückt sich und schaut auch unter den Kasten*

Man erwartet mich
in Bordeaux
ein Fünfjahresvertrag
Herr Caribaldi
Meine Tellernummer ist übrigens
eine ausgesprochen französische Nummer
Sechs auf der linken
acht auf der rechten
nach und nach
in Musik gesetzt
müssen Sie wissen
Und Bekleidungszuschuß
extra
Ich habe
einen neuen Anzug an
Herr Caribaldi
Pariser Samt
Pariser Seide
von Alexandre
müssen Sie wissen
eine elegante Fütterung
plötzlich
Aber sehen Sie
da
ist das Kolophonium
steht auf

CARIBALDI

Da ist es
holt das Kolophonium unter dem Kasten hervor

JONGLEUR

Sie sollten sich eine zweite Schachtel
in Augsburg kaufen

CARIBALDI

Morgen in Augsburg

JONGLEUR

Man erwartet mich

in Bordeaux
Sarrasani
das ist immer
ein Triumph
höchste Klasse
Herr Caribaldi
und von Bordeaux
bis hinunter
nach Portugal
Lissabon
Oporto
wissen Sie
Caribaldi mit dem Kolophonium zum Cello, setzt sich und streicht den Bogen mit dem Kolophonium ein
Für einen Jongleur
der die französische Sprache
nicht beherrscht
nicht das Einfachste
aber ich beherrsche
die französische Sprache
Das Französische ist die Muttersprache
meiner Mutter gewesen
Pablo Casals hatte immer
fünf oder sechs Stücke Kolophonium
in Reserve
Morgen in Augsburg

CARIBALDI
Morgen in Augsburg

JONGLEUR
Diese außerordentliche Frau
meine Mutter
ist übrigens in Nantes
aus der Kirche ausgetreten

CARIBALDI *den Bogen gleichmäßig mit dem Kolophonium einstreichend*
Alle Augenblicke fällt mir
das Kolophonium
aus der Hand
und auf den Boden

JONGLEUR
Die Fingerschwäche

Herr Caribaldi
möglicherweise
altersbedingt

CARIBALDI

Eine zweite Schachtel Kolophonium

JONGLEUR

Seit Jahren sage ich
kaufen Sie sich
eine zweite Schachtel Kolophonium

CARIBALDI

Morgen in Augsburg

JONGLEUR

Unter den Kasten
zeigt unter den Kasten
Dahin
Jongleur und Caribaldi schauen unter den Kasten
Immer unter den Kasten
dahin
das ist doch sehr interessant
Die Fingerschwäche
und das Fallgesetz

CARIBALDI

Seit ein zwei Jahren
kann ich das Kolophonium
nur schwer in der Hand halten

JONGLEUR

Ihre Hand
ist an die Peitsche gewöhnt
nicht an das Kolophonium
Herr Caribaldi
Caribaldi öffnet sich die schmutzige Frackbrust
Jongleur springt auf und stürzt auf ein schief an der Wand hängendes Bild zu und richtet es gerade, auch noch ein zweites, und setzt sich wieder
Den ganzen Tag denke ich
wie lange probieren Sie das Quintett
fünfzehn
oder gar zwanzig Jahre
so weit ich zurückdenken kann
von dem ersten Tag an
an welchem ich mit Ihnen zusammen bin

erinnere ich mich
sitzen Sie hier auf dem Sessel
und probieren das Forellenquintett

CARIBALDI

Das Forellenquintett
übe ich
zwanzig Jahre
genaugenommen
das zweiundzwanzigste Jahr
Eine Therapie
müssen Sie wissen
Spielen Sie ein Instrument
ein Saiteninstrument
hat mein Arzt gesagt
damit Ihre Konzentration nicht nachläßt

JONGLEUR

Denn vor nichts hatten Sie mehr Angst
als vor dem Nachlassen Ihrer Konzentration

CARIBALDI

Die Konzentration
darf nicht nachlassen
Damals
vor zweiundzwanzig Jahren
hatte meine Konzentration
plötzlich nachgelassen
Auf den Peitschenknall
keine Präzision
verstehen Sie
keine Präzision
auf den Peitschenknall

JONGLEUR

Die Pferde reagierten nicht mehr

CARIBALDI

Nicht präzise
nicht mit der
erforderlichen Präzision
Und jetzt spiele
oder besser gesagt übe
ich zweiundzwanzig Jahre das Cello

JONGLEUR

Und zweiundzwanzig Jahre

das Forellenquintett
Caribaldi spielt den tiefsten Ton lange
Ein Künstler
der eine Kunst ausübt
braucht eine andere zweite Kunst
die eine Kunst
aus der andern
die einen Kunststücke
aus den andern

CARIBALDI *streckt dem Jongleur die rechte Hand hin*
In dieser Hand
sehen Sie
das Unglück
Ich lasse das Kolophonium fallen
zieht seine Hand zurück
Und der Kopf
ist zur Konzentration
nicht mehr fähig
plötzlich
läßt die Konzentration nach
Die Liebe zur Artistik allein

JONGLEUR
Allerdings
Die Kunst
ist nichts als Wechselwirkung
Artistik
Kunst
Kunst
Artistik
verstehen Sie
Ich bin neugierig ob heute
die Probe zustande kommt
Ihre Enkelin
ist kränkelnd
der Spaßmacher
hat etwas im Hals
und der Dompteur
ist auch heute wieder ein Opfer
seiner Melancholie
Dies ist ein Begriff
Herr Caribaldi

ein medizinischer Begriff

CARIBALDI

Die letzte Probe
ist ein Skandal gewesen
Das möchte ich nicht mehr
erleben
spielt den tiefsten Ton lange
Einen betrunkenen Dompteur
dem es Mühe macht auf den Beinen
einen Spaßmacher dem fortwährend
die Haube vom Kopf fällt
eine Enkelin die mir durch ihre Existenz allein
auf die Nerven geht
Die Wahrheit ist ein Debakel

JONGLEUR

Der Mittwoch ist immer
ein schlechter Tag
Aber auch der Samstag
ist kein guter Tag
Auch die Tiere sind am Mittwoch anders
als am Samstag
am Samstag anders
als am Mittwoch
Aber von den Menschen
noch dazu Artisten
Künstler
Herr Caribaldi
kann man doch
die Beherrschung erwarten

CARIBALDI

Wenn es nur einmal
nur ein einziges Mal gelänge
das Forellenquintett
zu Ende zu bringen
ein einziges Mal eine perfekte Musik

JONGLEUR

Ein Kunstwerk
Herr Caribaldi

CARIBALDI

Diese Übung
zur Kunst zu machen

JONGLEUR

Ohne Zwischenfall
ein so schönes Stück

CARIBALDI

Eine so hohe Literatur
müssen Sie wissen
In diesen zweiundzwanzig Jahren
ist es nicht ein einziges Mal gelungen
das Forellenquintett
fehlerfrei
geschweige denn als ein Kunstwerk
zu Ende zu bringen
Immer ist einer darunter
der alles zerstört
durch eine Unachtsamkeit
oder eine Gemeinheit

JONGLEUR

Konzentrationsunfähigkeit
Herr Caribaldi

CARIBALDI

Einmal ist es die Violine
einmal ist es die Viola
einmal ist es die Baßgeige
einmal ist es das Klavier
Dann wieder bekomme ich selbst
diese fatalen Rückenschmerzen
ich krümme mich vor Schmerz
müssen Sie wissen
und das Musikstück fällt auseinander
Habe ich den Spaßmacher so weit
daß er sein Instrument beherrscht
verliert der Dompteur auf dem Klavier
seinen Kopf
oder meine Enkelin
die ja jetzt schon zehn Jahre
auf der Viola spielt
zieht sich
wie letzten Dienstag
einen Schiefer ein
Mit schmerzverzerrtem Gesicht
kann man nicht Schubert spielen

schon gar nicht das Forellenquintett
Ich habe nicht wissen können
daß der Tonkunst dienen
so schwierig ist
spielt einen langen Ton auf dem Cello
Und allein kann ich das Quintett
nicht spielen
Es ist ein Quintett
streicht wieder mit dem Kolophonium den Bogen ein, während der Jongleur sagt

JONGLEUR

Die große Anhänglichkeit einerseits
die ich empfinde
Bordeaux
Frankreich Herr Caribaldi
andererseits
Kleidung extra
verstehen Sie
und den ganzen Winter
die Riviera auf und ab
und die Möglichkeit
mit meiner Schwester zusammenzuarbeiten
Caribaldi läßt das Kolophonium fallen
der Jongleur hebt es auf
Was alles anders
in Frankreich
Herr Caribaldi
Das Unmöglichste
eine Wohltat
Wie Sie wissen
liebe ich es außerordentlich
an der Atlantikküste
frische Muscheln zu essen
in weißem Bordeaux
gibt Caribaldi das Kolophonium
Die deutsche Sprache
verdummt mit der Zeit
die deutsche Sprache
drückt auf den Kopf
greift sich an den Kopf
Caribaldi zupft am Cello

Jongleur Caribaldi betrachtend
Extra Kleidungszulage
Und die französische Frischluft
Herr Caribaldi
Caribaldi streicht einen langen tiefen Ton auf dem Cello
Jongleur Caribaldi noch intensiver betrachtend
In dieser Haltung
des Oberkörpers
war Casals angelangt
auf dem Höhepunkt
Caribaldi zupft am Cello
Der ständige Luftwechsel
einmal nördlich
einmal südlich der Alpen
schadet dem Instrument
Immer muß es gestimmt werden
und immer nach andern Gesichtspunkten
für jeden Ort
für jede Luft extra

CARIBALDI
Extra

JONGLEUR
Aber die sogenannte Kammermusik
ist in Ihrer Familie
Auch in meiner Familie
Caribaldi streicht einen tiefen Ton auf dem Cello
Und immer ist es
das Forellenquintett
Am besten sagen Sie selbst
in Prag
am allerschlechtesten
auf der Theresienwiese

CARIBALDI
Morgen Augsburg

JONGLEUR
Auf der Theresienwiese
Caribaldi streicht einen tiefen Ton, zupft am Cello
Die Kunst ist ein Mittel
für eine andere Kunst
nachdenklich
Immer ist es

die letzte Vorstellung
Noch während der Tellernummer
wird das Zelt abmontiert
schaut und zeigt in die Höhe
Weil ich hinaufschauen muß
sehe ich
wie das Zelt abmontiert wird
Das Publikum nimmt natürlich
diesen Vorgang nicht wahr
Caribaldi zupft am Cello
Die Konzentration des Publikums
ist auf mich gerichtet
geht und richtet Bilder und Spiegel gerade
Ein Vorteil
wenn man eine französische Mutter hat
Wie Sie wissen
ist mein Vater aus Gelsenkirchen
ein unglücklicher Mensch
eine Zeitlang hat er sich
mit Schiffbau beschäftigt
plötzlich
Bei achtzehn höre ich auf
Achtzehn Teller nicht mehr
Plötzlich hatte ich Angst
Herr Caribaldi
schaut Caribaldi auf die Brust
Ihre Weste ist schmutzig
Herr Caribaldi
Caribaldi streicht einen tiefen Ton auf dem Cello
Ihre Weste ist schmutzig
Herr Caribaldi

CARIBALDI

Wenn man den ganzen Tag
auf dem Boden herumkriecht
auf der Suche
nach dem Kolophonium
nimmt das Kolophonium und streicht den Bogen ein, während der Jongleur sagt

JONGLEUR

Man macht mir das Angebot
in der Kuranstalt von Rouen

einen ganzen Abend
allein zu bestreiten
verstehen Sie
Zur Tellernummer
auch noch die Nummer mit dem Pudel
Mit dem Kunstpudel

CARIBALDI
Ihre Nummer mit dem Kunstpudel

JONGLEUR
Diese Kunstpudelnummer
die Sie mir verboten haben
Zwei Jahre an diese Nummer geopfert
und dann haben Sie sie mir verboten
In Rouen kann ich diese Nummer zeigen
Und meine Schwester als Assistentin
ist akzeptiert
Sarrasani
Herr Caribaldi
Ihr eigener Satz ist der Satz
Weggehn
nicht stehenbleiben
nicht stehenbleiben
weggehn
ruft aus
Ich gehe nach Frankreich
Herr Caribaldi

CARIBALDI *zupft am Cello*
Morgen Augsburg

JONGLEUR
Morgen Augsburg
richtet ein Bild gerade
Sarrasani
Herr Caribaldi
Caribaldi streicht einen tiefen Ton auf dem Cello
In Wirklichkeit
ist es gar nicht die Tellernummer
auch ich bin es nicht
es ist die Violine
Herr Caribaldi
Es ist das Forellenquintett
das ohne mich nichts ist

Sie haben mich gezwungen
Caribaldi zupft am Cello
die Violine zu spielen
weil ich in einer unglücklichen Verfassung
gesagt habe
mich verraten habe
daß ich als Kind auf der Violine gespielt habe
Sie haben mich zur Violine
zurückgezwungen
mit unglaublicher Rücksichtslosigkeit
Caribaldi streicht einen tiefen Ton auf dem Cello
Und Ihrer Enkelin
haben Sie die Viola aufgezwungen
und dem Spaßmacher die Baßgeige
und dem Dompteur Ihrem Neffen
das Klavier
ruft
Aufgezwungen
aufgezwungen
richtet, wie um sich zu beruhigen, einen Spiegel gerade
Dabei ist Ihrem Neffen
das Klavierspielen verhaßt
plötzlich auf die Tür zeigend
Durch diese Tür
kommen Ihre Opfer herein
Herr Caribaldi
Ihre Instrumente
Herr Caribaldi
Nicht Menschen
Instrumente
auf das Klavier zeigend
Ihr Neffe der Dompteur
hatte einmal die Idee
das Klavier zu zertrümmern
mit der Hacke
er hat es nicht getan
obwohl die Hacke schon in der Luft war
Ich habe das verhindert
Sie kennen die Brutalität Ihres Neffen
wie Sie selbst sagen
Das Tier

Nein nicht
so ich
Vielleicht eine sogenannte Sinnesverwirrung
aber allein die Vorstellung
des zertrümmerten Klaviers
und denken Sie
des von Ihrem fleischlichen Neffen
zertrümmerten Klaviers
Kopfschmerz
Kopfschmerz
greift sich an den Kopf
Ich nahm Ihrem Neffen
die Hacke weg
Bei dieser Gelegenheit
behandelte ich Ihren Neffen
wie Ihr Neffe
seine sogenannten wilden Tiere behandelt
Ich ging auf ihn zu
Caribaldi streicht einen tiefen Ton auf dem Cello
Ich redete ihm gut zu
Ich beruhigte ihn
Dann gab ich ihm das Versprechen
Caribaldi aufschauend
Daß ich ihm das Geheimnis
meiner Kunstpudelnummer verrate
So
zeigt es
hatte Ihr Neffe die Hacke über dem Kopf
wie leicht für ihn
das Klavier mit einem einzigen Hieb
zu zertrümmern
Sie kennen seine Kraft
Sie kennen seine Entschlußkraft
nimmt einen Notenständer und bläst den Staub ab
Caribaldi streicht einen langen tiefen Ton auf dem Cello
Aber ich habe mein Versprechen
nicht halten können
Weil Sie mir mit Entlassung gedroht haben
wenn ich Ihrem Neffen
die Schliche
oder sagen wir besser die Kunst

der Kunstpudelnummer klarmache
Ich war auf Ihre Hilfe angewiesen
die Tellernummer ist noch nicht
in der Weise entwickelt gewesen
daß ich mich selbständig hätte machen können
Sie vor den Kopf stoßen
konnte ich nicht
das konnte ich mir nicht erlauben
Ich habe Sie nicht erpressen können
Sie haben mich erpreßt
Ich war Ihnen wieder ausgeliefert
Mein Neffe spielt
solange ich darauf bestehe
auf dem Klavier
haben Sie gesagt
zeigt in die Ecke
Dort in der Ecke
haben Sie das gesagt
Das war endgültig
nimmt ein Notenheft und bläst den Staub ab
Sie beherrschen Ihren Neffen
wie Ihre Enkelin
Der Spaßmacher macht seine Späße nur
weil Sie ihn dazu zwingen
Alle diese Leute
sind Ihnen ausgeliefert
Wenn diese Leute sich einmal unterstehen
nicht zu kommen
das Forellenquintett
nicht zu spielen
Aber sie unterstehen sich
eine solche Ungeheuerlichkeit nicht
Caribaldi zupft am Cello
Diese Leute
sind Ihnen ausgeliefert
besitzen nichts
und sind Ihnen ausgeliefert
Selbst ich habe nie den Mut gehabt
n i c h t zu spielen
setzt sich
Im Gegenteil

feuerte ich die andern noch an
greift sich an den Kopf
An den Kopf damit
für eine solche Inkonsequenz
Konsequenz
Ihr Begriff
Präzision
Konsequenz
diese zwei
Ihre Begriffe
Aber natürlich leiden Sie auch
und zwar in dieser Ihnen eigenen
größenwahnsinnigen Vorgangsweise
an Ihrer eigenen Rücksichtslosigkeit
Herr Caribaldi
Und die Ursachen
sind Ihre Rückenschmerzen
ist Ihr Holzbein

CARIBALDI
Morgen Augsburg

JONGLEUR
Ihre schon von Kindheit an
angegriffene Gesundheit
Ihre Überempfindlichkeit
unter der Schädeldecke
Herr Caribaldi
plötzlich heftig
Der Kranke und der Verkrüppelte
beherrschen die Welt
alles wird von den Kranken
und von den Verkrüppelten beherrscht
Eine Komödie ist es
eine böse Erniedrigung
Caribaldi streicht einen tiefen Ton auf dem Cello
Wenn man wie ich
zugegeben einem Genie
über ein Jahrzehnt lang dient
und alles
Caribaldi lacht laut auf
Und alles mit einem solchen Gelächter
quittiert wird

holt einen Brief aus der Rocktasche
Aber jetzt
habe ich diesen Brief
aus Frankreich
Der Direktor des Zirkus Sarrasani persönlich
schreibt mir
Caribaldi hört auf zu lachen
Jongleur bedeutungsvoll mit dem Brief über dem Kopf
Wer hat in seinem Leben
ein solches Angebot bekommen
wer

CARIBALDI *macht vier kurze Striche auf dem Cello, stößt es von sich, ohne es auszulassen; befehlend*
Das Maggini
nein
das Salo
das Ferraracello
Verstehen Sie nicht
das Ferraracello will ich
Jongleur nimmt ihm das Cello ab
Caribaldi kommandierend
Das Ferraracello
Jongleur mit dem Magginicello zum Kasten, nimmt das sogenannte Ferraracello heraus und stellt das Magginicello hinein
Vollkommenheit
Vollkommenheit
verstehen Sie
nichts sonst
Jongleur gibt Caribaldi das sogenannte Ferraracello
Mein Neffe
Meine Enkelin
was für Menschen
Und Pablo Casals
was für ein Mensch
ruft aus
Was für Menschen
was für Geschöpfe
was für Unsinnigkeiten
jeder einzelne eine unglückliche Natur
für sich
Der Herr Spaßmacher

was für eine Unsinnigkeit
das Fräulein Enkelin
Alle diese Leute
verwandt oder nicht
haben mich nichts als Geld gekostet
Geld
und Geduld
Eine lebenslängliche Nervenprobe
streicht einen tiefen Ton auf dem Cello
Casals
das ist es
streicht den Bogen mit dem Kolophonium ein
sehe ich meinen Neffen den Dompteur
denke ich
da geht die Brutalität mit der Dummheit
sehe ich den Spaßmacher
da geht der Schwachsinn spazieren
der Schwachsinn
verliert die Haube
sehe ich meine Enkelin
ist es die Niedertracht ihrer Mutter
Geben Sie her
reißt dem Jongleur das Cello aus der Hand, das dieser einen Augenblick an sich genommen hatte, damit es Caribaldi nicht auf den Boden fällt
Der Schwachsinn
Ja
Casals
oder Schopenhauer
verstehen Sie
oder Platon
streicht einen langen tiefen Ton
Ich habe einmal geträumt
ich sei in Archangelsk
ohne zu wissen
wie Archangelsk ist
Und ich kenne nichts als Archangelsk
das ist es
sonst nichts
verstehen Sie
Und da glauben Sie

weggehen zu können
ruft aus
Sarrasani
was ist das
Machen Sie hier
in meiner Truppe die Tellernummer
hier auf diesem Platz
Ihre Kunst vervollkommnen
Ach was Vollkommenheit
besser werden
verstehen Sie
sonst nichts
Die Probe
auf das Exempel machen
verstehen Sie
Hier ist alles niederträchtig
streicht einen langen Ton auf dem Cello
Hören Sie
ganz anders
ganz anders
hören Sie
Das Salo
hat einen ganz anderen Ton
als das Maggini
Wie spät ist es denn
Sagen Sie mir nicht
wie spät es ist
streicht einen langen tiefen Ton auf dem Cello
Das Salo
Das Ferraracello
Vor fünf das eine
nach fünf das andere
streicht fünfmal kurz hin und her
Das Salo
hören Sie
Die Feuchtigkeit
nördlich der Alpen
streicht einen tiefen Ton auf dem Cello
Sie müssen genau hinhören
ein ganz anderer Ton
Aber spiele ich das Ferraracello

vormittags
hat es eine verheerende Wirkung
Das mußt du dir einprägen
sage ich immer
vormittags das eine
nachmittags das andere
Wie Casals
nachdenklich
Morgen Augsburg

JONGLEUR
Zwei Schachteln Kolophonium
Herr Caribaldi

CARIBALDI
Aber wenn man fortwährend so wie ich denke denkt
ist es eine Verrücktheit
Das eine Cello am Vormittag
das andere am Nachmittag
verstehen Sie
Das gilt auch für die Geige
Auch für die Viola gilt das
spielt ein paar kurze Töne auf dem Cello
Jongleur holt aus dem Kasten einen Geigenkasten und aus dem Geigenkasten eine Geige und setzt sich und stimmt die Geige
Es ist mir noch nie passiert
die Morgenprobe
auf dem Ferraracello
noch nie
Und südlich der Alpen
genau umgekehrt
Das Talent meiner Enkelin
ist kein großes Talent
aber es ist schön
sie tanzt auf dem Seil
schön
sie spielt die Viola
schön
Ein Kind
Und mein Neffe
ein ausgesprochenes Antitalent
Andererseits ist das Klavierspiel
ein Mittel

für einen Dompteur
Der Umgang mit den Tieren wissen Sie
umgekehrt
Diese fortwährenden Verletzungen
Morgen in Augsburg
muß er einen Arzt aufsuchen
morgen in Augsburg
In Wahrheit hätte mein Neffe
werden sollen
was er ist
eine durch und durch
bürgerliche Existenz
ich habe ihn
in die Truppe hineingezwungen

JONGLEUR
Die tödlichen Bisse
gegen seinen Vorgänger

CARIBALDI
Diese tödlichen Bisse

JONGLEUR
Leopardenbisse

CARIBALDI
Wir haben
die Leoparden
erschießen müssen
Dieser arme
von den Leoparden zerrissene Mensch
streicht einen langen tiefen Ton auf dem Cello
Das Quintett
schien verloren
Da kam ich auf die Idee
meinen Neffen

JONGLEUR
Ihren Neffen
zum Dompteur
und also zum Klavieristen zu machen

CARIBALDI
Wir hatten einen Dompteur
und Klavierspieler

JONGLEUR
Das Quintett war gerettet

CARIBALDI
Das Quintett
war gerettet
streicht einen langen tiefen Ton auf dem Cello
übrigens hatte mein Neffe
nicht nur dieses eine Mal die Idee
das Klavier zu zertrümmern
Immer wieder
hat er den Versuch gemacht

JONGLEUR
Mit untauglichen Mitteln
allerdings

CARIBALDI
Allerdings
Und glauben Sie nicht an die Heuchelei
des Spaßmachers
er haßt die Baßgeige
Meine Enkelin liebt auch die Viola nicht
Geben Sie zu Sie selbst
spielen nur widerwärtig
auf der Violine
Alles nur widerwärtig
alles was geschieht
geschieht widerwärtig
Das Leben die Existenz
widerwärtig
Die Wahrheit ist
Jongleur geht auf ein Bild zu und richtet es gerade
Die Wahrheit ist
ich liebe das Cello nicht
Mir ist es eine Qual
aber es muß gespielt werden
meine Enkelin liebt die Viola nicht
aber sie muß gespielt werden
der Spaßmacher liebt die Baßgeige nicht
aber sie muß gespielt werden
der Dompteur liebt das Klavier nicht
aber es muß gespielt werden
Und Sie lieben ja auch die Violine nicht
Wir wollen das Leben nicht
aber es muß gelebt werden

zupft am Cello
Wir hassen das Forellenquintett
aber es muß gespielt werden
Jongleur setzt sich, nimmt die Violine, spielt darauf
Caribaldi spielt ein paar Töne auf dem Cello
Nichts vormachen
kein Selbstbetrug
vier kurze Striche auf dem Cello
Was hier ohne weiteres
als eine musikalische Kunst bezeichnet werden kann
ist in Wirklichkeit
eine Krankheit
Geben Sie mir das Kolophonium
Jongleur gibt Caribaldi das Kolophonium
Caribaldi streicht den Bogen mit dem Kolophonium ein
Casals
nach einer Pause
Lächerlich
Die Kunst
ist immer
eine andere Kunst
der Künstler
oder sagen wir besser
der Zauberkünstler
es gibt ja nur Zauberkünstler
ein Anderer
täglich
tagtäglich
ein Anderer
Vor allem
darf ein solcher Mensch
die Beherrschung nicht verlieren
Seine Eigenschaft schwindelfrei
mit seiner Verrücktheit
vertraut
Wenn er die Intelligenz
in Person ist
Alles Unwillkürliche
soll in ein Willkürliches
verwandelt werden
Die Denkorgane

sind die Weltzeugungs-
und die Naturgeschlechtsteile
Partielle Harmonien
darauf beruht alles
zupft an den Cellosaiten
es handelt sich hier nicht
um Theosophie
verstehen Sie
zupft an den Saiten
Aber die Verrücktheit dieser Leute
ist eine andere Verrücktheit
wie auch ihre Verachtung
schwindelfrei einerseits
Verachtung andererseits
Krankheitsvorliebe
Überwindung des Lebens
Todesangst
verstehen Sie
das Ohr an den Cellokasten
So macht es Casals
hören Sie
streicht einen langen tiefen Ton auf dem Cello
So macht es Casals
Immer die Neigung zur Unzucht
den Kopf betreffend
In einer Welt
der Intoleranz
streicht einen tiefen Ton auf dem Cello
Jedes Wort
ist ein Wort der Beschwörung
bedeutungsvoll
Welcher Geist ruft
ein solcher erscheint
läßt das Kolophonium fallen, es rollt unter den Kasten; wirft die rechte Hand in die Höhe und ruft
Diese Finger
diese Finger machen mich wahnsinnig
auf den Jongleur blickend
Dieser schöne Anzug
dieser gute Schnitt
dieser vertrauenerweckende Farbton

Jongleur auf den Boden, das Kolophonium suchend
Wie wir unser Denkorgan
in beliebige Bewegung setzen
Magische Astronomie
Grammatik
Philosophie
Religion
Chemie und so fort
Begriff von Ansteckung
Sympathie des Zeichens
mit dem Bezeichneten
Wahrscheinlich ist das Kolophonium
ganz an die Wand geprallt
ganz an die Wand
ganz an die Wand
zupft am Cello
Jongleur auf Caribaldi zurückschauend, während er mit den Händen das Kolophonium unter dem Kasten sucht
Jedes Willkürliche
Zufällige
Individuelle
kann unser Weltorgan werden
horcht am Cellokasten und streicht gleichzeitig einen langen tiefen Ton
So
so Casals
Es ist eine nervöse Gewohnheit
eine Nervenkrankheit
glauben Sie mir
Das Kolophonium
Wahnsinn
verstehen Sie
wirft die rechte Hand in die Luft und bewegt nervös alle Finger und ruft
Plötzlich ist es da
plötzlich
eine Krankhaftigkeit
eine nervöse Krankhaftigkeit
nach einer Pause
Eine Gewohnheit
Und sehen Sie

zeigt unter den Kasten
immer in dieser Richtung
immer unter den Kasten

JONGLEUR

Gemeinschaftlicher Wahnsinn
Herr Caribaldi

CARIBALDI

Man hat mir empfohlen
daß ich es anbinde
an eine Schnur
und mir um den Hals hänge
streicht einen langen tiefen Ton auf dem Cello
Wie Fäustlinge
verstehen Sie
um den Hals
als Kind
Enkelin tritt mit einem Schaff heißen Wassers und mit einem Handtuch auf
Caribaldi schaut auf die Enkelin
Ach ja das Fußbad
Komm mein Kind

JONGLEUR

Ihr Fußbad
Herr Caribaldi
Enkelin stellt das Schaff vor Caribaldi und krempelt ihm die Hosenfüße auf, jetzt sieht man, sein rechtes Bein ist ein Holzbein; sie zieht ihm Schuh und Strumpf aus

CARIBALDI *mit dem linken Bein in das Wasserschaff*

Ah
plötzlich
Wie weit ist die Vorstellung
Waren die Tiere schon
die Affen

ENKELIN

Die Affen

CARIBALDI

Die Affen
die Affen
über den Jongleur, zur Enkelin
Er sucht das Kolophonium
Und du hast schön getanzt

fehlerfrei
fehlerfrei und schön
Enkelin nickt
Es gibt nichts
über ein heißes
Fußbad
Wenn das Wasser
gerade so heiß ist
daß man es
ertragen kann
küßt die Enkelin auf die Stirn
Enkelin tritt zurück
plötzlich
Du frierst ja mein Kind
Morgen sind wir in Augsburg
morgen Augsburg
Du mußt die Übung machen
verstehst du
die Übung
Komm her
mach die Übung
dann wird dir warm

JONGLEUR *der das Kolophonium noch nicht gefunden hat*
Dein Großvater meint es gut
mit dir
Enkelin stellt sich vor Caribaldi auf und macht auf sein Kommando eine Übung, die darin besteht, daß sie einmal auf dem rechten, einmal auf dem linken Bein steht, auf den Fußspitzen; steht sie auf dem rechten, hebt sie das linke Bein usf.; hebt sie den rechten, läßt sie den linken Arm fallen und umgekehrt, exakt wie eine Marionette, mit immer größerer Geschwindigkeit, während der Jongleur vom Boden aus zuschaut

CARIBALDI *mit dem Cellobogen taktierend*
Einszwei
einszwei
einszwei
einszwei
einszwei
einszwei
einszwei
einszwei

einszwei
einszwei
einszwei
einszwei
einszwei
einszwei
einszwei
einszwei
einszwei
So halt
Enkelin hört auf, erschöpft
Caribaldi befiehlt
Äpfel schälen
Schuhe putzen
Milch abkochen
Kleider bürsten
Und pünktlich zur Probe
verstehst du
Du kannst gehen
Enkelin ab
Caribaldi nachdenklich
Morgen Augsburg
zum Jongleur
Haben Sie das Kolophonium gefunden?
Jongleur hat das Kolophonium nicht gefunden und sucht weiter
Ein überflüssiges
ein schönes Kind
zieht, weil er sich unbeobachtet weiß, den rechten Hosenfuß noch höher hinauf und streicht, während der Jongleur das Kolophonium sucht, mit dem Cellobogen über das Holzbein, langsam, wie in großem Genuß und sagt
Casals
Casals
Jongleur hat das Kolophonium gefunden
Caribaldi läßt den rechten Hosenfuß fallen
Jongleur steht mit dem Kolophonium auf
Caribaldi verlegen
Alles ist Musik
alles
Die Welt ist
der Makroanthropos

Jongleur bringt Caribaldi das Kolophonium
Caribaldi nimmt das Kolophonium und streicht den Bogen damit ein, den Jongleur betrachtend
Die Erfahrung zeigt
daß einer
kriecht er längere Zeit
auf dem schmutzigen Boden
schmutzig wird
setzt den Cellobogen am Bauch des Jongleurs an
Die Angst ist es
nichts als die Angst
streicht dreimal ruhig und prüfend einen tiefen Ton auf dem Cello an, plötzlich auffahrend
Ein Brief
und sei er vom Sarrasani
bringt Sie aus der Fassung
plötzlich drohend, forsch
Aber ich kenne das
Jedes Jahr
bekommen Sie mehrere
solcher Briefe
alle diese Briefe
Angebote
Überangebote
zupft mehrere Male am Cello
Ich verstehe
Mehr Geld
Mehr Hochachtung
Der Herr Jongleur
fordert wieder einmal mehr Geld
und mehr Hochachtung
zupft am Cello
Zwei werden
durch den Dritten getrennt
und verbunden

JONGLEUR

Aber

CARIBALDI

Sind Sie ruhig
Es ist immer das gleiche
Wenn die Leute sich einen Namen gemacht haben

verlangen sie Geld
und Hochachtung
immer mehr Geld
und immer mehr Hochachtung
Die Künstler erpressen mit ihrer Kunst
wenn das nicht d i e Perfidie ist
Plötzlich fallen einen die Künstler an
mit ihren Forderungen
zupft kurz zweimal am Cello
Selbst das Genie
wird noch einmal größenwahnsinnig
wenn es ums Geld geht
setzt den Cellobogen am Bauch des Jongleurs an
Hochachtung
bricht in Gelächter aus, bricht das Gelächter aber gleich wieder ab
Die Artisten
aber insgesamt alle Künstler
erpressen mit ihrer Kunst
auf das rücksichtsloseste
Aber mich beeindruckt das nicht
Und Ihr Brief von dem Direktor des Sarrasani
ist einer jener Hunderte von gefälschten Briefen
die Sie mir in den ganzen zehn oder elf Jahren
die Sie bei mir sind
schon immer unter die Nase gehalten haben
Zeigen Sie mir das Angebot
Zeigen Sie mir das Angebot
zupft ein paarmal kurz die Saiten und hält den Cellobogen fest, wie zum Spiel
Jongleur tritt einen, dann noch einen Schritt zurück
Ein Dummkopf
der heute noch einem Künstler glaubt
ein Dummkopf

Vorhang

Zweite Szene

Dompteur mit dick einbandagiertem linken Arm am offenen Klavier, Brot, Wurst und Rettich essend

SPASSMACHER *auf dem Boden rechts, zum Dompteur*
Weh

DOMPTEUR
Nicht der Rede wert

SPASSMACHER
Geht die Probe

DOMPTEUR
Vielleicht
vielleicht auch nicht
haut mit der einbandagierten Hand auf die Tasten

SPASSMACHER
So geht es nicht

DOMPTEUR
So geht es nicht
es geht nicht so
haut noch einmal mit der einbandagierten Hand auf die Tasten
So nicht

SPASSMACHER
So nicht
verliert die Haube, setzt sie gleich wieder auf
Was glaubst du
wenn heute wieder nicht geprobt werden kann

DOMPTEUR
Das Quintett
kann nicht gespielt werden
wenn ich nicht spielen kann

SPASSMACHER
Wenn du nicht spielen kannst
nicht

DOMPTEUR
Nicht
Überhaupt nicht
Es ist ein Quintett
verstehst du

SPASSMACHER
Gehst du mit mir aus

morgen

DOMPTEUR

Morgen in Augsburg
ja
Da gehn wir miteinander aus

SPASSMACHER

Es muß weh tun
Der hat ganz schön
zugebissen

DOMPTEUR

Zugebissen
zugebissen

SPASSMACHER

Es ist nicht meine Schuld
Ich

DOMPTEUR

Schon gut
hör auf

SPASSMACHER

Ich springe

DOMPTEUR

Du springst

SPASSMACHER

Da springt er auch

DOMPTEUR

Max
betrachtet seine einbandagierte Hand
Max
beißt
tief

SPASSMACHER

Es ist nicht meine Schuld
Ich springe
springt auf
siehst du
so
zeigt es, wie er in der Manege gesprungen ist
so
siehst du
Und er springt auch

DOMPTEUR

Max darf nicht gereizt werden
verstehst du
Max versteht
keinen Spaß
Du mußt dich genau an die Abmachung halten
Erst wenn ich dir
das Zeichen gebe
mit dem Daumen verstehst du
springst du
Du bist früher gesprungen
früher gesprungen
Wenn ich sage Max
dreimal Max
dreimal kurz Max
springst du
wie abgesprochen
er muß d i c h anspringen
mich nicht
Du irritierst ihn
du irritierst
das Tier
I c h kann ja den Purzelbaum
nicht machen
verstehst du
Spaßmacher macht einen Purzelbaum und hockt sich wieder auf den Boden
Max versteht
keinen Spaß
Spaßmacher steht auf und zeigt dem Dompteur, wie er den Löwen reizen, und wenn der Löwe Max anspringt, den Purzelbaum machen muß
So
siehst du
so
Die Nummer steht zwei Jahre
wirft dem Spaßmacher ein Stück Wurst, das er gerade abgeschnitten hat, hin, der Spaßmacher fängt es auf, ißt es auf
Immer wieder kommt es zu Pannen
schreit den Spaßmacher an
Keine Panne mehr

verstehst du
keine Panne mehr
Das nächste Mal reißt der mir
noch den ganzen Arm ab
Präzise
Wie mein Onkel immer sagt
Präzise
Die Präzision zur Gewohnheit machen
verstehst du
wirft dem Spaßmacher ein großes Wurststück zu, wie wenn der Spaßmacher ein Raubtier wäre
Intelligenzler
Was mich allein
der zweieinhalbfache Sprung
gekostet hat
ein Jahr
verstehst du
Jetzt beherrscht er
den Sprung
trinkt von jetzt an immer Bier aus Flaschen, die ihm der Spaßmacher auf das Klavier stellt
Man darf ihn nicht
aus den Augen lassen
Morgen in Augsburg
neue Bandagen
verstehst du
Max sagen
ruhig Max sagen
und ihn nicht aus den Augen lassen
Hypnose
verstehst du
Mein Onkel
hat für Hypnose
nichts übrig
Die Tiere gehorchen mir
umgekehrt
gehorche ich den Tieren
verstehst du
Hypnose
plötzlich
Im Ernstfall

sich hinwerfen
Das hast du doch in der italienischen Truppe gelernt
wie man sich hinwirft
Spaßmacher wirft sich wie in der italienischen Truppe hin, steht wieder auf
So
so ist es richtig
Idiotisch
eine Verschwörung
m i t den Tieren einerseits
g e g e n die Tiere
andererseits

SPASSMACHER
Einerseits
andererseits

DOMPTEUR
Zuerst Angst
dann die Vorliebe
für die Angst
sagt mein Onkel

SPASSMACHER
Der Herr
Caribaldi

DOMPTEUR
Der Herr
hat die Bierflasche vom Klavier gestoßen, unabsichtlich oder nicht
Spaßmacher springt auf und wischt mit einem Fetzen das Bier vom Boden auf
Die klassische Musik
bringt mich um

SPASSMACHER
Das Forellenquintett

DOMPTEUR
Die ganze klassische Musik
Spaßmacher stellt dem Dompteur, nachdem er das Bier vom Boden aufgewischt hat, eine neue Flasche Bier aufs Klavier und hockt sich wieder dort auf den Boden, wo er vorher gehockt war
Dompteur trinkt
Seine Tochter

hättest du sehen sollen
eine Schönheit
sie war ganz verstümmelt
Vorher hatte ihr Vater
sie noch die Übung Wie verneigt man sich
üben lassen
vierzehnmal
wie er diese Übung
ja auch seine Enkelin
vierzehnmal
machen läßt
Sie hat einen Fehler gemacht
versteht du
Das Schlüsselbein
steckte ihr in der Schläfe
zeigt es

SPASSMACHER *macht es nach*
In der Schläfe

DOMPTEUR
Begräbnis dritter Klasse
so liebt der Vater die Tochter
daß die dann verscharrt wird
schon ein Jahr später
wußte kein Mensch mehr
wo
er suchte sie vergeblich
auf dem Friedhof
Seither fährt er nicht mehr
nach Osnabrück
Osnabrück nicht mehr

SPASSMACHER
Nicht mehr Osnabrück

DOMPTEUR
Wie einen Hund
die eigene Tochter
verscharren lassen
verstehst du
Die höchsten Schwierigkeitsgrade
und immer rücksichtslos
immer die gleichen Übungen
immer die gleiche Rücksichtslosigkeit

Er kennt keine Müdigkeit
Er kennt kein Aufhören
Keinerlei Aufmucken
Einmal im Jahr
ein neues Kleid
oder ein Paar Gummistiefel
sonst nichts
Er nennt sie
die einfachen Geschöpfe
Das Genie ist der Vater
mein Onkel
der die Geschöpfe tanzen
oder dressieren
oder jonglieren läßt
der von unten hinaufschaut
ist das Genie
verstehst du
schneidet ein Stück Wurst ab und wirft es dem Spaßmacher zu, der fängt es und ißt es auf
Wenn das Kind einmal länger Toilette macht
Spaßmacher läßt die Haube fallen und setzt sie sich gleich wieder auf
bekommt es eine Ohrfeige
und wird durch Verdoppelung der Übung
bestraft
Wie verneige ich mich
verstehst du
Diese Übungen
einszwei
einszwei
einszwei
verstehst du
und in der Nacht plötzlich aufstehen müssen
und die Übung machen
Wie verneige ich mich
schneidet ein Stück Rettich ab und wirft es dem Spaßmacher zu
Da Rettich
Rettich da
Spaßmacher fängt das Rettichstück auf und verschluckt es
Wenn das Nachthemd naß ist
kein Mitleid

Aber einmal wirft es sich weg
ein solches Geschöpf
stürzt es sich
in die Manege
Die Verrücktheit
eines einzigen Menschen
in welche dieser Mensch rücksichtslos
alle andern hineintraktiert
Der nichts als die Vernichtung
im Kopf hat
Spaßmacher läßt die Haube fallen und setzt sie sich gleich wieder auf
Im Regen die Übung machen
bei drei Grad
Wie verneige ich mich
Das Cello
und die Peitsche
verstehst du
schneidet ein Stück Rettich ab und wirft es dem Spaßmacher hin, der fängt es auf und ißt es
Ich bin ein dummer Mensch
sagt er
vor allen Leuten

SPASSMACHER

Kunststücke machen
Kunststücke machen
Üben
üben
üben
macht einen Purzelbaum vor und einen Purzelbaum zurück

DOMPTEUR

Dafür hasse ich ihn
schneidet ein Stück Wurst ab und wirft es dem Spaßmacher hin
Verachtung für alles
verstehst du
Das Gegenüber
immer
in jedem Fall ein Idiot
Mit seiner Enkelin ist er
in Venedig gewesen
In jedes Schauspiel sind sie gegangen

Auch auf dem Markusplatz
im Regen
bei zwei Grad Celsius
hat sie üben müssen
Wie verneigt man sich
trinkt, ißt
Wenn du Max anschaust
Hypnose mußt du denken
es handelt sich
um Hypnose
Wenn du das vergißt
reißt er dir ein Stück Fleisch
heraus
wie mir

SPASSMACHER
Tuts weh

DOMPTEUR
Mit Schnaps
nicht
zuerst Schnaps
dann Bier
Bier
Bier

SPASSMACHER
Mit Schnaps
mit Bier
mit Bier
Bier
Bier

DOMPTEUR
Hypnose
verstehst du
Dabei kann ich
von Glück reden
Sterbensglück
Aber glaubst du
er hätte die Tiernummer
ausfallen lassen
ruft aus
Ein Stück Fleisch herausgerissen
und die Tiernummer

findet statt
verstehst du
Weil er hinter uns allen
her ist
immer zwei Schritte hinter uns
oder er steht schon vor uns
auch wenn er nicht da ist
ist er da
beobachtet uns
verstehst du
belauert uns
Mit seinem eigenen Holzbein erschlagen
wie einen Hund

SPASSMACHER *läßt die Haube fallen und setzt sie gleich wieder auf*
Wie einen Hund

DOMPTEUR
Wie einen Hund
Und immer pünktlich
das Forellenquintett
hebt den einbandagierten Arm
Hier unter der Achsel
zieht es
ein ziehender Schmerz
trinkt
Und allmählich verliere ich
die Sehkraft
das hat mir der Arzt prophezeit

SPASSMACHER
Die Sehkraft

DOMPTEUR
Morgen in Augsburg
muß ich den Augenarzt aufsuchen

SPASSMACHER
Morgen in Augsburg

DOMPTEUR *trinkt die Flasche vollkommen leer*
Spaßmacher springt auf und stellt eine neue Flasche auf das Klavier und hockt sich wieder auf den Boden
Sich einen Menschen halten
wie ein Tier
verstehst du
Wir sind nichts

als Tiere
Das Klavier
die Viola
die Baßgeige
die Violine
Tiere
nichts als Tiere

SPASSMACHER
Tiere

DOMPTEUR
Absichtlich
läßt er das Kolophonium fallen
Neuerdings auch
vor dem Jongleur
Der Jongleur muß auf den Boden
zeigt unter den Kasten
Da unter den Kasten
schneidet ein Stück Wurst ab und wirft es dem Spaßmacher zu
Der Herr Jongleur kriecht auf dem Boden
und apportiert meinem Onkel das Kolophonium

SPASSMACHER
Der Herr Jongleur
und der Herr Caribaldi

DOMPTEUR
In immer kürzeren Abständen
verstehst du
Apportiert
Manchmal denke ich
beiß zu
Aber er tut es nicht
Er hat mir den Kopf
abgebissen
träume ich
daß er zubeißt
Der Herr Dompteur
ohne Kopf
verstehst du
Spaßmacher lacht in sich hinein
Daß er Ernst macht
verstehst du
Der Kopf sagt Max

und ist schon abgebissen
Spaßmacher lacht
Die Hände
auf den Kopf
aber da ist kein Kopf mehr
Spaßmacher lacht in sich hinein
Der springt mich an
und beißt mir den Kopf ab
trinkt aus der Flasche
Spaßmacher springt auf und verliert die Haube, setzt sie sich gleich wieder auf, erschrocken auf die Tür schauend

CARIBALDI *tritt auf, zum Spaßmacher*
Unglaublich
Hinaus mit dir
In die Manege mit dir
mach deine Späße
Wirds bald
Spaßmacher mit einem Knicks vor Caribaldi ab
Auf dem ganzen Platz
suche ich diesen Menschen
Eine Ungeheuerlichkeit
Morgen Augsburg
Die ganze Zeit
der Jongleur allein
in der Manege
Keine Spur
vom Spaßmacher
Da versteht das Publikum
keinen Spaß
zum Dompteur
Bier
Rettich
Gestank
Für einen Betrunkenen
ist kein Platz hier
Das ist kein Platz hier
für einen Betrunkenen
halte dich an die Regel

DOMPTEUR
Aber

CARIBALDI

Es ist immer das gleiche
man muß hinter euch her sein
forsch
Hinaus mit dir
Die Tiere brüllen vor Hunger
und du frißt dich an
Hinaus
Dompteur steht auf
Caribaldi schreit den Dompteur an
Fauler Hund
Dompteur mit dem großen Rettich ab
Caribaldi hängt den Zylinder an den Haken
An den Nagel hängen
an den Nagel hängen
Notenständer
diese nutzlosen Notenständer
stößt an einen der Notenständer, packt einen der Notenständer
Das Forellenquintett
schlägt sich an den Kopf
Enkelin ist eingetreten
An den Nagel hängen
an den Nagel hängen

ENKELIN

Die Schuhpasta ist ausgegangen

CARIBALDI *imitiert sie*

Die Schuhpasta ist ausgegangen
Morgen in Augsburg
morgen in Augsburg
Diese nutzlosen Notenständer
Das Forellenquintett
An den Nagel hängen
alles
an den Nagel hängen
alles
schlägt sich mit der flachen Hand auf die Stirn
Idiot

ENKELIN

Willst du das Cello

CARIBALDI

Das Cello

das Cello
brüllt die Enkelin an
Das Maggini
oder das Salo
oder das Ferraracello
setzt sich
Komm her mein Kind
Enkelin geht zu ihm hin
Höre
die letzte Phrase leise
Crescendo
sage ich crescendo
Decrescendo
sage ich
decrescendo
sehr leise
die letzte Phrase
sehr sehr leise
berührt die Enkelin an der Schläfe
Wir sind
von Bestien umgeben
von Bestien
decrescendo
decrescendo
crescendo
crescendo
schaut zur Tür
Mit mir allein mein Kind
Morgen Augsburg
schläfst du gut
in der Nacht
Ich schlafe nicht
ich träume nicht
Zeig deine Beine
Enkelin zeigt die Beine
Dein Kapital
Deine Mutter
hatte die schönsten Beine
Übst du
auf das genaueste
Üben

Aufwachen
Aufstehen
Üben
Üben
Üben
zupft am Cello, streicht einen langen tiefen Ton auf dem Cello
Hörst du
Casals
Die Kunst auf dem Seil zu tanzen
ist ein Gottesgeschenk
Und die Zähne
Zeig her
Enkelin macht den Mund auf und zeigt die Zähne
Gute Zähne
das wichtigste
Machst du die Übung
mit dreizehn
Dreizehn auf
dreizehn ab
Und die Übung
mit einundzwanzig
einundzwanzig auf
einundzwanzig ab
Keine Lektüre
mein Kind
Und merke dir
Ballett ist etwas anderes
Kein Ballett
Und höre nicht
was der Dompteur sagt
und höre nicht
was der Jongleur sagt
Es ist ein Mißverständnis
verstehst du
alles ein Mißverständnis
Arme hoch
Enkelin wirft die Arme hoch
Hoch
hoch
Enkelin wirft zweimal die Arme hoch
Und nicht zu den Tieren

schreit
Und nicht zu den Tieren
Deine arme Mutter
Und dann der Absturz
Zeig deine Hände
Enkelin zeigt ihre Hände
Gut
Die fortwährenden Warnungen
ihres Vaters
meiner Person
nutzlos
Kolophonium
hörst du
Kolophonium
Morgen in Augsburg
Eines Tages
ist sie zu den Tieren
und die Tiere haben zugebissen
in das Geschöpf hineingebissen
Sie war tapfer
die Ärzte haben sie
gut zusammengeflickt
kaum war sie zusammengeflickt
ist sie abgestürzt
Unaufmerksamkeit
Einen Augenblick Angst
verstehst du
Ein Fehltritt
Die Arme hoch
Enkelin wirft die Arme hoch
Hoch
hoch
hoch
Enkelin wirft dreimal die Arme hoch
Keine Bibliothek in Augsburg
Kein Buch
nichts
schreit plötzlich
Nicht zu den Tieren

ENKELIN

Nicht zu den Tieren

CARIBALDI

Auf dem Seil tanzen
hoch oben
in höchster Höhe
schaut empor
Ohne abzustürzen
Es ist ein schöner Anblick
plötzlich zu Boden schauend
Dieser Schrei
mein Kind
Sie war sofort tot
Wie du zum erstenmal
auf dem Seil gewesen bist
ich hatte Angst
Todesangst
berührt die Enkelin
Ich habe immer
Angst
schiebt die Enkelin weg
Enkelin dreht sich darauf wie ein Kreisel
Die Musik ist es
und das menschliche Gehör
Die Kunststücke sind es
und die Musik
Jetzt bring mir das Cello
Enkelin zum Kasten, mit dem Magginicello zurück
nicht d i e s e s Cello
Mein Kind nein
Nicht das Maggini
Das Ferraracello
Enkelin mit dem Magginicello zum Kasten zurück, mit dem Ferraracello zu Caribaldi
Einmal
vor aller Öffentlichkeit
In der Manege
Enkelin gibt Caribaldi das Kolophonium, dieser streicht den Bogen mit dem Kolophonium ein, gibt das Kolophonium der Enkelin und streicht zwei lange tiefe Töne
In aller Öffentlichkeit
Vielleicht im Herbst
in Nürnberg

ENKELIN
In Nürnberg
CARIBALDI
Aber Stillschweigen
Stillschweigen
mit dem Zeigefinger vor dem Mund
Stillschweigen
In der Manege
das Forellenquintett
Zuerst tanzt du auf dem Seil
und dann spielst du die Viola
leise
sehr leise
crescendo
decrescendo
Perfektion
Absolut
Die Leute kommen
und sehen
und hören
streicht einen langen tiefen Ton auf dem Cello
Sie kommen
in eine Zirkusvorstellung
und hören das Forellenquintett
Aber bis es soweit ist
bis Nürnberg
muß geübt werden
geübt werden
geübt werden
Schubert
nichts sonst
die Leoparden nicht
die Löwen nicht
die Pferde nicht
Nur du
und Schubert
Die Tellernummer nicht
Nur Schubert
und du
Dann
Es ist keine Probe

es ist ein Konzert
plötzlich heftig
Aber dieser Mensch
mit seinen immer neuen Verletzungen
und der Jongleur
mit seiner Perversität
der entsetzliche Charakter
des Spaßmachers
Diese fürchterlichen Menschen
in Betrachtung des Cellos
Eine Kostbarkeit
Ich habe es in Venedig gekauft
mit dem Erbe deiner Mutter
ihr ganzes Vermögen
hat mich
dieses Cello gekostet
Hier siehst du
zeigt es
ist das Wort Ferrara eingraviert
Das heilige Wort
Ferrara
Ich habe ihn zweimal gehört
mein Kind
einmal in Paris
und einmal in London
Casals
streicht einen langen tiefen Ton und wieder zurück
Es ist ein Unterschied
Hörst du den Unterschied
Kannst du den Unterschied hören
Jeden Tag frage ich dich
ob du den Unterschied hörst
hörst du ihn
Enkelin nickt
Es ist eine hohe Kunst
die Hörkunst
mein Kind
Die Kunst ist
daß man hört
und immer
daß man den Unterschied hört

hörst du den Unterschied
Enkelin nickt
Bring mir das andere
gibt der Enkelin das Ferraracello
Enkelin geht zum Kasten und holt das Magginicello, gibt es Caribaldi und bleibt vor ihm stehen
Caribaldi streicht auf dem Magginicello einen langen leisen Ton
Hörst du den Unterschied
Dieser Unterschied
Casals
Es ist unmöglich
ab fünf Uhr nachmittag
auf dem Magginicello zu spielen
Am Morgen auf dem Maggini
am Abend auf dem Ferrara
Wir befinden uns
nördlich der Alpen mein Kind
auf Antwort wartend
Und

ENKELIN
Wir sind nördlich der Alpen

CARIBALDI
Richtig
wir sind nördlich der Alpen
Nicht auf dem Magginicello
nördlich der Alpen
nicht auf dem Magginicello
plötzlich forsch
Die Probe findet statt
Und wenn ich sie alle mit Fußtritten
an ihre Instrumente treten muß
Der Herr Dompteur glaubt
sich tagtäglich eine Verletzung gestatten zu können
und der Spaßmacher klagt
über seine Nierenschmerzen
und der Herr Jongleur
schützt mir seit Jahren
eine undefinierbare Krankheit vor
Die Probe findet statt
Wer nicht probt erreicht nichts

wer nicht übt
ist nichts
man muß unaufhörlich proben
unaufhörlich
verstehst du
unaufhörlich auf dem Seil
unaufhörlich an der Viola
unaufhörlich
man darf nicht absetzen
man darf nicht pausieren
streicht einen langen tiefen Ton auf dem Cello
Ein Morgeninstrument
kein Abendinstrument
kein Abendinstrument
gibt das Magginicello der Enkelin, die stellt es in den Kasten und kommt mit dem Ferraracello zurück
Caribaldi nimmt das Ferraracello und streicht einen tiefen langen Ton
Hörst du
das ist es
Ja
das ist es
plötzlich laut, die Enkelin anherrschend
Crescendo
wenn ich crescendo sage
Decrescendo
sage ich decrescendo
Hast du verstanden
nichts berechtigt zur Nachlässigkeit
Casals
zupft an einer Saite
Die Kunst
ist eine mathematische Kunst
mein schönes Kind
Gib mir die Hand
Enkelin gibt Caribaldi die Hand
Du frierst ja
mein Kind
Enkelin tritt einen Schritt zurück
Caribaldi hebt den Cellobogen, taktiert mit dem Cellobogen die Enkelin, die widerspruchslos mit der Übung beginnt

Einszwei
einszwei
einszwei
einszwei
einszwei
einszwei
einszwei
einszwei
einszwei
einszwei
einszwei
einszwei
einszwei
Enkelin erschöpft, läßt Arme und Kopf fallen
Jetzt ist dir warm
mein Kind
Und
Wie verneigt man sich
Enkelin verneigt sich
So verneigt man sich
so
prüft das Gesicht der Enkelin
Du beherrschst dein Gesicht nicht
mein Kind
Du mußt dein Gesicht beherrschen
Morgen in Augsburg
streicht einen langen tiefen Ton auf dem Cello
Dieser Ton
ist ganz anders
hörst du diesen Ton
hörst du den Unterschied
Das Ferraracello
Enkelin nickt
Die Weltkörper
sind Versteinerungen
streicht einen langen leisen Ton
Jongleur tritt auf
Caribaldi bemerkt das nicht
Jongleur und Enkelin hören Caribaldis langem Ton zu
wenn der Ton zu Ende ist
Ist es auch ein Unglück

wird es das ganze Leben fortgesetzt
Ein Caribaldi
kein Künstler
Unvorstellbar
zeigt mit dem Cellobogen in die Höhe
Es ist eine Frage der Luftschichten
bemerkt den Jongleur
verstehen Sie
eine Frage der Luftschichten
Metaphysik vielleicht
Starr und flüssig
polare Entgegensetzungen
Vereinigt
in dem Begriff
von Feuer
plötzlich
Wie weit
sind die Leute
Es muß alles rasch gehen
Morgen um sechs
will ich in Augsburg sein
Schon wenn die Vorstellung anfängt
Abbau des Zelts
Die Zuschauer sitzen noch da
aber das Zelt ist nicht mehr da
Weiter weiter
gleich weiter
Wie viele waren denn da
Nichts Deprimierenderes
als die letzte Vorstellung
ich hasse
Ich sehe ja nichts
ich rieche nur
diesen üblen Geruch
den die Zuschauer ausströmen
Es ist lächerlich
immer wieder diese Bemerkung zu machen
aber der Geruch der Zuschauer
ist ein abstoßender
Ich sehe nichts
das ist wahr

aber ich rieche
wo ich bin
Dieser Geruch denke ich
Ah Koblenz
Dieser Geruch
Ah Berlin
dieser Geruch
Nürnberg etcetera
Ich rieche wo ich bin
ruft
Augsburg ist
das schlimmste
Die Tiernummer
verkürzen
die Tellernummer
verkürzen
dem Spaßmacher
die Späße reduzieren
verstehen Sie
Frisches Fleisch kaufen
in Augsburg
Wenn das so leicht wäre
mit dem Frischfleisch
Alle um fünf Uhr früh
in die Freibank
zur Enkelin
Auch du mein Kind
und binde dir den Schal um
Die Freibank
Frischfleisch
hast du gehört
Frischfleisch
zum Jongleur
In der Kindervorstellung
keine Kürzung
Den Spaßmacher extra
immer wieder den Spaßmacher
Keine großen Worte
mein Herr Jongleur
Und alle Tiere
Alle Tiere

Es ist widerwärtig
meine ganze Kindheit
eine Schreckensherrschaft
läßt den Cellobogen fallen, und der Jongleur und die Enkelin stürzen hin und wollen den Cellobogen aufheben; der Jongleur hat ihn aufgehoben und gibt ihn Caribaldi
Man darf die Not nicht vergessen
die die Kindheit gewesen ist
J e d e Kindheit
zur Enkelin
Achte auf deinen Rücken
wenn du dich bückst
du bückst dich zu leichtfertig
unbewußt
doch bewußt
verstehst du
zum Jongleur
Immer sage ich ihr das gleiche
wie ich allen Leuten
immer das gleiche sage
alle diese Leute ändern sich nicht
aber es ist unmöglich
damit aufzuhören
mit diesen Ermahnungen
Die Körper
wie die Köpfe betreffend
Körper und Köpfe betreffend
Alles unter ständiger
i n ständiger Kontrolle
zur Enkelin
Wie verneigt man sich
Enkelin stellt sich sofort auf
Also
Enkelin verneigt sich
So
gut so
zum Jongleur
Finden Sie
daß sich meine Enkelin
richtig verneigt

JONGLEUR
Sie verneigt sich
richtig
Herr
Caribaldi
CARIBALDI
Kopf und Körper
Körper und Köpfe
unter ständiger Kontrolle
Die Gedankenlosigkeit
ist das abstoßendste
Jongleur zu einem ihm gegenüber hängenden Bild, um es gerade zu hängen
Caribaldi über dieses Bild
Verona
wie man sieht
Sankt Zeno
Mein Vater im Sterben
auf dieser armseligen Bettstelle
wissen Sie
in einem ungeheizten Zimmer
Steinboden
Das Leintuch
als Leichentuch
tödlich
verstehen Sie
alles tödlich
Da auf einem solchen Steinboden
hatte mein sterbender Vater
sein Lager
Unsere Mutter
wer weiß wo sie war
Da sagte mein Vater
sterbend
Laßt es nie
in euerm Leben
so weit kommen
läßt den Cellobogen sinken, zum Jongleur
Ein anderer Nagel
ein anderer Nagel gehört eingeschlagen
Richten Sie es gerade

ist es gleich wieder schief

JONGLEUR

Ein anderer Nagel

CARIBALDI

Es ist noch nicht gerade
Jongleur glaubt, das Bild ist gerade, aber Caribaldi sagt
Es ist noch nicht gerade
noch immer nicht
noch immer nicht
noch immer nicht
noch nicht
jetzt
Ah
Sie hätten das Bild nicht mehr berühren sollen
Jongleur richtet es wieder
Nein
nein
nein
Ja jetzt
jetzt
Jongleur tritt zurück und betrachtet das Bild
Enkelin hat sich genau zwischen Caribaldi und das Bild gestellt
Caribaldi, als wollte er die Enkelin mit dem Cellobogen wegtreiben
Weg
weg mein
So
jetzt ist es gerade
zum Jongleur
Sie hätten das Bild nicht mehr berühren sollen
M i c h irritiert es ja nicht
S i e irritiert es
S i e leiden darunter
i c h leide nicht darunter
Blanke blitzblanke Spiegel
das lieben Sie
Ihre Schuhe im Hochglanz
Jongleur und Caribaldi und Enkelin schauen auf die hochglanzgeputzten Schuhe des Jongleurs
Sie haben
wie ich weiß

immer ein Schuhfetzchen
in Ihrem Hosensack
im Hosensack rechts
rechts ein Schuhfetzchen
links ein Taschentuch
Schuhfetzchen
Taschentuch
Schuhfetzchen
Taschentuch
zum Jongleur befehlend
Ja zeigen Sie
zeigen Sie
fordert den Jongleur mit Bewegungen des Cellobogens dazu auf, seine Hosensäcke umzudrehen
Drehen Sie
Ihre Hosensäcke um
Drehen Sie sie um
Jongleur dreht seine Hosensäcke um, aber es kommt links das Schuhfetzchen und rechts das Taschentuch zum Vorschein, nicht umgekehrt
Sehen Sie
nicht im linken Hosensack
haben Sie das Taschentuch
sondern rechts
links haben Sie das Schuhfetzchen
Auch Sie irren
Herr Jongleur
Stecken Sie alles wieder ein
Jongleur steckt Schuhfetzchen und Taschentuch wieder ein, aber jetzt, wie es sich gehört, das Schuhfetzchen in den rechten, das Taschentuch in den linken Hosensack
Taschenspielerei
Taschenspielerei
zur Enkelin
ein ordentlicher Mensch
hat im rechten Hosensack ein Schuhfetzchen
und im linken Hosensack
ein Taschentuch
Und er verwechselt nicht
linken und rechten Hosensack
Und er hat ein saubereres

weißes Taschentuch
zum Jongleur
Ich frage Sie nicht
wieviel saubere weiße Taschentücher
Sie besitzen
zur Enkelin
Er wäscht die Taschentücher
selbst
er ist unverheiratet
er wäscht sie sich selbst
in einem eigens dafür bestimmten Lavoir
Denn das ginge ja nicht
daß er sich im gleichen Lavoir
in dem er sich die Taschentücher wäscht
und die Schuhfetzchen wäscht
auch Schuhfetzchen müssen ab und zu
gewaschen werden mein Kind
auch das Gesicht wäscht
zum Jongleur
Einmal in Iserlohn
haben Sie sich
in das Schuhfetzchen geschneuzt
und mit dem Schuhfetzchen
die Nase geputzt
Erinnern Sie sich
wie Sie diesen fürchterlichen
langanhaltenden Schnupfen hatten
Enkelin lacht plötzlich laut auf
Caribaldi hämisch
In Iserlohn
Und in Marburg an der Lahn
die Enkelin anschauend
Und das
vor Publikum
Dompteur tritt auf, alle blicken auf den Dompteur, der in der Tür stehenbleibt
Caribaldi zum Dompteur, schreiend
Frischfleisch
morgen in Augsburg
Frischfleisch
zu sich und zur Enkelin

Was für ein abstoßender Mensch
Dompteur geht zum Klavier und nimmt einen großen Rettich an sich und will wieder gehen, aber der Spaßmacher tritt auf; Enkelin blickt auf den Spaßmacher; Caribaldi horcht am Cellokasten und streicht einen langen tiefen Ton, dreimal hin und zurück; Spaßmacher winkt Enkelin zu sich und flüstert ihr etwas ins Ohr und zeigt mit weitausgestreckter Hand unter den Kasten; Enkelin geht zum Kasten und holt das Kolophonium hervor und geht damit zu Caribaldi. Caribaldi hat die Enkelin zuerst nicht bemerkt, streicht einen langen tiefen Ton, setzt ab und nimmt ihr das Kolophonium ab und streicht damit den Cellobogen ein – plötzlich zum Spaßmacher
Hast du deine Späße gemacht
Spaßmacher nickt; Caribaldi zur Enkelin
Wie verneigt man sich
Enkelin verneigt sich

Vorhang

Dritte Szene

Alle, außer dem Dompteur, auf den Sesseln, ihre Instrumente stimmend, die Bogen der Instrumente mit Kolophonium einstreichend

CARIBALDI *zur Enkelin*
Crescendo
wenn ich crescendo sage
Decrescendo
sage ich decrescendo
Es gibt in der Kunst
gar in den Kunststücken
kein Pardon
zum Jongleur
Diese Entwicklung
muß allein gegangen sein
den Schwachsinn
in einem einzigen Augenblick

zum Genie machen
Wenn ein Körper im ganzen
in ein Verhältnis tritt
so treten seine Teile
in ein ähnliches Verhältnis
wie der ganze Körper tritt
In diese Hunderttausende von Richtungen
in die ich hätte gehen können
in eine einzige bin ich gegangen
Aber ich bin kein Beispiel
tatsächlich bin ich
gescheitert
Der Direktor ist immer
gescheitert
Die Versuche die ich
gemacht habe
gescheitert
die Möglichkeiten
die ich gehabt habe
Weil sich ein Mensch wie ich
in fortwährender Beobachtung
der anderen Menschen
vernichten muß
Die andern sich entwickeln lassen
verbietet sich einem solchen Menschen
wie ich
Eine an sich mittelmäßige Verwandtschaft
und die Hohe Kunst
andererseits
Und die fortwährenden Versuche
die Mittelmäßigkeit der Verwandtschaft
in diese Hohe Kunst
oder besser in diese sogenannte Hohe Kunst
hinein
und hinunter zu stoßen
Diese tagtägliche Quintettprobe
ist keine Marotte
zur Enkelin
Die Viola so spielen
wie du auf dem Seil tanzt
zum Jongleur

Die Violine absolut
zu ihrem Kopf machen
und umgekehrt
wissen Sie
zum Spaßmacher
Die Baßgeige
ist dein Unglück
verstehst du
immer wieder
Die Baßgeige
ist dein Unglück
Immer diese Verzögerungen
diese Verletzungen
diese Launen
zur Enkelin
In Augsburg
die E-Saite nicht vergessen
Ein ganz und gar verrückter Musikalienhändler
in Augsburg
Immer ist es der Dompteur
der das Quintett sabotiert
schreit
Sabotage
Sabotage

JONGLEUR

Die Wunde eitert ihm
sagt der Dompteur
mit einer eitrigen Wunde

CARIBALDI

Die Wunde eitert ihm
die Wunde eitert ihm
mit einer eitrigen Wunde
Aber es ist ein Quintett
kein Quartett
Und weil er fortwährend
eitrige Wunden an seinem Körper hat
besauft er sich
und dann ist es ihm unmöglich
sich auf dem Klavier zurechtzufinden
Er findet sich auf dem Klavier nicht zurecht
streicht einen tiefen langen Ton auf dem Cello

Jongleur streicht einen Ton auf der Geige
Enkelin zupft an der Viola
Spaßmacher zupft an der Baßgeige
Casals
streicht einen tiefen langen Ton auf dem Cello
Casals
zum Jongleur
Hören Sie den Unterschied
streicht einen tiefen langen Ton auf dem Cello
Casals
plötzlich befehlend
Den Stimmton bitte
alle streichen einen langen Ton auf ihrem Instrument
Jetzt gelänge
was uns schon lange
nicht gelungen ist
aber der Dompteur
macht alles zunichte
richtet sich den Notenständer mit dem Notenheft
Rettich
überall Rettichgestank
Jongleur bläst den Staub von seinem Notenheft
Die Rücksichtslosigkeit
ist ein Kunstwille
die einzige Möglichkeit
ist die Rücksichtslosigkeit
Aber die Umwelt
ist nichts als Dummheit
und Krankheit
und Unverständnis
Jahrzehnte spiele ich
gegen den Stumpfsinn das Cello
Aber es ist kein Ende abzusehen
kein Ende abzusehen
zupft am Cello
Perfektion
Die Gesellschaft stößt
wer gegen sie verstößt
aus
zur Enkelin
Du mußt die Viola spielen

wie du auf dem Seil tanzt
verstehst du
Zwei Saiten in Augsburg
E E verstehst du
E-Saiten
zum Jongleur
Lebenslänglich
mein lieber Herr Jongleur
lebenslänglich
Sie jonglieren mit Ihren Tellern ja auch
lebenslänglich
gegen die Gesellschaft
Ihr Kopf kommt nicht zur Ruhe
gegen die Gesellschaft
zum Spaßmacher
Melancholiker
Spaßmacher streicht dreimal kurz auf der Baßgeige hin und her
Mit dem Bogen
mit dem Geigenbogen
mit dem Baßgeigenbogen
mit dem Cellobogen
gegen alles
Der Kopf ist von der Kunst
die einer macht
nicht mehr in Ruhe gelassen
hört er auf
ist er tot
sich mit dem Bogen
in den Tod
hineinstreichen
streicht einen langen tiefen Ton auf dem Cello; über den Dompteur zum Spaßmacher
Wie er dir die Wurststücke
und die Rettichstücke
zuwirft
streicht einen langen tiefen Ton auf dem Cello
Enkelin bohrt in der Nase
Caribaldi hat das bemerkt, zum Jongleur
Es ist Ihnen nicht gelungen
meiner Enkelin
das Nasenbohren abzugewöhnen

kaum sitzt sie auf dem Sessel
bohrt sie in der Nase
zur Enkelin
Das ist eine Verunstaltung
mein Kind
auch während du spielst
bohrst du in der Nase
Das ist abstoßend
während des Forellenquintetts
in der Nase bohren
zum Jongleur
Oder diese fürchterliche Gewohnheit
in das Andante hineinzuhusten
ein so ausgezeichneter
geschulter Kopf
und eine solche fürchterliche Gewohnheit
Sie müssen mehr Malz einnehmen
eine größere Menge Malz
verstehen Sie
und wenn Sie die Atemübungen
die ich Ihnen empfohlen habe
auch wirklich machen
Um sechs in der Frühe hinaus
gleich wo
und sei es in Augsburg
eine Stunde oder auch nur
eine halbe Stunde
in der frischen Luft
das Crescendo nicht außer acht lassend
verstehen Sie
Diese Verengung Ihrer angegriffenen Bronchien
Sie erweitern sie
Sie sind in der kürzesten Zeit
beschwerdelos
Aber Sie befolgen nicht
was ich sage
So haben Sie ja auch Schwierigkeiten
mit dem achtzehnten Teller
das gelingt Ihnen nicht
Weil Sie Schwierigkeiten
mit der Atmung haben

Atmungsschwierigkeiten
zu allen
Alle habt ihr Atmungsschwierigkeiten
Die Atmung funktioniert nicht
das ist es
Wenn die Atmung funktioniert
funktioniert auch die Hohe Kunst
Für einen Künstler
für einen praktizierenden Künstler
noch dazu für einen Artisten
oder für einen solchen
der ausübender praktizierender Künstler
und dazu auch noch Artist ist
ausübender Artist
ist die Beherrschung der Atmung
das wichtigste
zum Jongleur direkt
Ihre Sprache ist ja auch
nur aus kürzesten Sätzen zusammengesetzt
nur aus kürzesten Sätzen
besteht Ihre Sprache
während Ihrer ganzen Erscheinung
ordentlich lange
lange ordentliche Sätze entsprächen
Was Sie sagen
ist abgehackt
alles ist abgehackt
was Sie sagen
Das deutet darauf hin
daß Sie die Atmung
nicht beherrschen
das ist eine Schande
für einen Artisten
zu allen
Die Störungen
abschaffen
die Organismusgebrechen
Das ganze Leben
bin ich damit beschäftigt
alle zusammen streichen auf Caribaldis stummes Kommando einen Ton auf ihrem Instrument

Jetzt
gut so
Aber das Klavier hat uns wieder
im Stich gelassen
Jongleur hustet
Kaum spielen wir ein paar Takte
husten Sie hinein
Spaßmacher läßt die Haube übers Gesicht fallen
Oder dem Spaßmacher fällt die Haube
vom Kopf
Ständig rutscht ihm
die Haube vom Kopf
zum Spaßmacher direkt
Hast du denn keine Haube
die dir nicht fortwährend
herunterrutscht
kaum sitzt er da
rutscht ihm die Haube herunter
Enkelin lacht
Caribaldi zum Jongleur
darüber lacht sie natürlich
schreit die Enkelin an
Lachst du
zum Jongleur
Dieses entsetzliche Lachen
meiner Enkelin
über das Herunterrutschen der Haube
des Spaßmachers
Ist die Haube zu weit
rutscht sie ihm herunter
ist sie ihm zu eng
rutscht sie herunter
Dann sieht er nichts
und ein Mißton ist da
sofort ist ein Mißton da
Ist ein Mißton da
weiß ich
ihm ist die Haube heruntergerutscht
zum Jongleur
Gibt es denn keine Methode
daß ihm die Haube nicht mehr herunterrutscht

An den Kopf anschrauben
Aber man kann sie ihm nicht
an den Kopf anschrauben
an den Kopf
Spaßmacher läßt die Haube übers Gesicht rutschen
Enkelin lacht
Da rutscht die Haube
Spaßmacher setzt sich die Haube wieder auf
Enkelin lacht
Die Haube rutscht
und meine Enkelin lacht
Rutscht die Haube
lacht meine Enkelin

JONGLEUR
Zuerst rutscht
die Haube

CARIBALDI
Dann lacht
meine Enkelin
Spaßmacher bricht in Gelächter aus
Der Spaßmacher
hat nicht zu lachen
er hat nichts
zu lachen

SPASSMACHER *hört auf zu lachen, sagt*
Nichts zu lachen
nichts zu lachen

JONGLEUR *mit dem Geigenbogen gegen ihn*
Der Spaßmacher
hat nicht zu lachen
Er hat nichts zu lachen

CARIBALDI
Der Spaßmacher nicht
zur Enkelin
Dieses Lachen
kommt dich teuer
zu stehen
Vier Tage Kartoffelsuppe
dann vergeht dir
das Lachen
streicht einen Ton auf dem Cello, dann

Oder ich habe diesen
fürchterlichen rheumatischen Schmerz
den ich mir auf dem Stilfser Joch
zugezogen habe
Sie erinnern sich
auf dem Stilfser Joch

JONGLEUR
Auf dem Stilfser Joch

ENKELIN und SPASSMACHER *zusammen*
Auf dem Stilfser Joch

CARIBALDI
Ein Luftzug
Ein Luftzug nur

SPASSMACHER
Ein Luftzug
läßt die Haube fallen und setzt sie sich gleich wieder auf

CARIBALDI *schreit den Spaßmacher an*
Ein Luftzug
zum Jongleur
Dieser fürchterliche Rückenschmerz
Aber ich verliere nicht die Beherrschung
ich gestatte mir
den Schmerz nicht
während des Spiels
streicht einen langen tiefen Ton auf dem Cello, horcht
Die Temperatur sinkt
zum Jongleur
Hören Sie
die Temperatur sinkt
Ich bemerke an dem Celloton
daß die Temperatur sinkt
Morgen in Augsburg
zur Enkelin
Die Wärmflasche
morgen in Augsburg
nicht vergessen
streicht einen tiefen Ton auf dem Cello
Augsburg
ist kalt

JONGLEUR
Kein größeres Vergnügen

als mit dem Quintett
den Schmerz besiegen
Enkelin unterdrückt ein Lachen
Spaßmacher läßt die Haube vors Gesicht fallen; zu Caribaldi
Er wäre nicht der Spaßmacher
wenn er nicht
von Zeit zu Zeit
seine Haube

CARIBALDI
Das ist eine Unverschämtheit
die Haube fallen zu lassen

JONGLEUR
Eine ganz bestimmte Kopfbewegung
und die Haube fällt

CARIBALDI *zeigt mit dem Cellobogen auf den Kopf des Spaßmachers*
Und die Haube fällt
fällt die Haube
Spaßmacher hält sich mit beiden Händen die Haube am Kopf fest
Enkelin und Jongleur lachen laut auf
Eine Unverschämtheit
eine Unverschämtheit

JONGLEUR *zu Caribaldi*
Eine peinliche Situation

CARIBALDI
Eine Unverschämtheit

JONGLEUR
Eine Unverfrorenheit

CARIBALDI *zum Jongleur*
Sie lachen zu sehen
Sie nicht nur lachen
zu hören
Sie lachen zu sehen
bei diesem widerwärtigen Anlaß
Jongleur lacht jetzt vollkommen frei und laut vor sich hin
Es gibt nichts Abstoßenderes
als das unmotivierte Lachen
eines intelligenten Menschen
Spaßmacher läßt die Haube vors Gesicht fallen und setzt sie sich gleich wieder auf und hält sie mit beiden Händen am Kopf fest.

Alle außer Caribaldi lachen laut, hören blitzartig zu lachen auf; Caribaldi will aufspringen, wird aber von heftigem Rückenschmerz zurückgehalten, setzt sich wieder

JONGLEUR

Sie dürfen nicht abrupt
aufspringen
Sie wissen
daß Sie nicht abrupt
aufspringen dürfen

CARIBALDI

Morgen in Augsburg
greift sich an den Rücken
Morgen in Augsburg
Mein ganzes Leben
ist eine Qual
alle meine Vorstellungen
sind zunichte
Aber nicht genug
wird man auch noch
fortwährend aufgezogen
den Jongleur anblickend
desavouiert
den Spaßmacher anblickend
hintergangen
die Enkelin anblickend
ausgelacht
zum Spaßmacher
Du machst mich wahnsinnig
wenn du die Haube
mit beiden Händen
an deinem Kopf festhältst
Spaßmacher nimmt die Hände weg vom Kopf, die Haube fällt
Caribaldi ruft aus
Ein Alptraum
ein Alptraum
Spaßmacher setzt sich die Haube wieder auf
Caribaldi schaut auf die Uhr
Eines Tages
bringe ich diesen Menschen
um
Diesen Neffen

streicht einen langen Ton auf dem Cello und zupft an einer Saite
Obwohl er weiß
wir warten auf ihn
Kommt er nicht
Es ist sein Triumph
streicht sieben kurze kräftige Töne auf dem Cello
Es ist sein Triumph
streicht einen kurzen tiefen Ton, setzt ab
Casals
Wir müssen die Temperaturschwankungen
beachten
zur Enkelin
Den größten Wert auf die Temperaturschwankungen
legen
zum Jongleur
Es ist ein Quintett
kein Quartett
Es heißt nicht
Forellenquartett
es heißt
Forellenquintett
Die eingehen
über den Dompteur
verfüttert er an die andern
zupft am Cello
Immer lungert der Mensch herum
frißt sauft
ruft aus
Ein Zersetzer
Ich bin genug bestraft
bedeutet dem Spaßmacher, ganz an ihn, Caribaldi, heranzukommen
Spaßmacher ganz an Caribaldi heran
Caribaldi, die Haube des Spaßmachers untersuchend, zum Jongleur
Vielleicht ist es
nur eine Frage
des Stoffes
klopft dem Spaßmacher auf den Kopf, fragt ihn
Was ist das für ein Stoff

SPASSMACHER
Seide
Seide ist es
CARIBALDI *zum Jongleur*
Seide
Seide ist es
Es ist Seide
ruft aus
Seide Seide
zum Jongleur
Muß es Seide sein
Es muß nicht Seide sein
Seide muß es nicht sein
Leinen
Leinen
gestärktes Leinen
Jongleur zuckt die Achseln
Caribaldi zur Enkelin
Es muß nicht Seide sein
mein Kind
Leinen
Gestärktes Leinen
ENKELIN
Gestärktes Leinen
CARIBALDI *zum Spaßmacher*
Gib her
zeig her
gib her
Spaßmacher gibt Caribaldi die Haube, dieser betrachtet die Haube
Seide
Seide
die Haube ist ja viel zu bauschig
eine viel zu bauschige Haube
Leinen
Leinen
gestärktes Leinen
Ich kann mir vorstellen
daß eine Haube aus Leinen
aus gestärktem Leinen
auf dem Kopf bleibt

greift dem Spaßmacher auf den Kopf
Auf diesem Kopf bleibt
auf dem Kopf
die Haube
da auf dem Kopf
aus gestärktem Leinen
gibt dem Spaßmacher die Haube zurück
Spaßmacher setzt sich die Haube auf
Eine Leinenhaube natürlich
Spaßmacher im Rückwärtsgang
Eine Leinenhaube
eine gestärkte Leinenhaube
Spaßmacher setzt sich
Morgen in Augsburg
In Augsburg morgen
Leinen
gestärktes Leinen
zur Enkelin
die Haube gestärkt
Morgen in Augsburg
mein Kind
In Augsburg
Spaßmacher verliert die Haube
Caribaldi schreit
Aufsetzen
die Haube aufsetzen
die Haube aufsetzen
Spaßmacher setzt die Haube auf
Caribaldi zum Jongleur
Eine Verrücktheit
eine Marotte
ein Krankheitserreger

JONGLEUR *wiederholt*
Ein Krankheitserreger

CARIBALDI
Ein Krankheitserreger
greift sich an den Rücken
Alles ist gegen
die Probe
gegen mich
ruft aus

Ihr seid alle gegen mich
ich sollte euch alle zum Teufel jagen
greift sich an die Hüfte
Je weiter nach Norden
desto größer die Schmerzen
zum Jongleur
Gibt es denn in Augsburg
überhaupt einen Arzt
einen Rheumaspezialisten
in diesem muffigen verabscheuungswürdigen Nest
In dieser Lechkloake
zur Enkelin
Du mußt mich heute noch einreiben
mein Kind
von unten nach oben
verstehst du
langsam von unten
nach oben
Den Saft schütteln
schütteln den Saft

JONGLEUR *zur Enkelin*
Der Rückenschmerzsaft
gehört gut
geschüttelt

CARIBALDI
Schütteln
schütteln
verstehst du

JONGLEUR *zu Caribaldi*
Diese Rheumatismussäfte
müssen gut geschüttelt sein

CARIBALDI *zum Jongleur*
Oder ich lasse mich doch
von meinem Neffen einreiben
diese großen diese riesigen Handballen
meines Neffen tun mir gut
zur Enkelin
Deine Hände sind
Hühnerknochen
wie Hühnerknochen
nein

zum Jongleur
Diese riesigen Handballen
meines Neffen wissen Sie
Spaßmacher streicht jetzt mehrere lange tiefe Töne auf der Baßgeige
Caribaldi zum Jongleur
Zum Einreiben
ist mein Neffe
gut genug
sonst ist er
für nichts
Enkelin streicht, während der Spaßmacher das gleiche auf der Baßgeige tut, auf ihrem Instrument, der Viola, mehrere Töne
Caribaldi zum Jongleur
Diese großen fleischigen Handballen
müssen Sie wissen
Dieser mißratene Mensch
der die Gewohnheit hat
ständig auf dem Klavier
noch dazu auf dem offenen Klavier
riesige die größten Rettiche
zu essen
Jongleur streicht mehrere Töne auf der Violine, während der Spaßmacher und die Enkelin noch nicht aufgehört haben, ihre Instrumente zu streichen
Caribaldi plötzlich
Das ist ja nicht auszuhalten
dieses verstimmte Klavier
und dieser entsetzliche Gestank
vom Rettich
alle hören auf, ihre Instrumente zu streichen
Streichinstrumente
Streichinstrumente
ruft aus
Gibt es denn in Augsburg
überhaupt
einen Klavierstimmer
Einen solchen durch und durch
unmusikalischen Menschen
an das Klavier zu setzen
weil man dazu gezwungen ist

zum Jongleur
Das Klavier als Biertisch
als Unterlage für das Verzehren
das unaufhörliche Verzehren
von Rettich
streicht einen langen tiefen Ton auf dem Cello; zum Jongleur
Auch Experimentator
ist nur das Genie
Das ist eine bedrohliche Gewohnheit
streicht einen langen tiefen Ton auf dem Cello
Immer ist dieser entsetzliche
dieser grauenhafte Rettichgeruch
in der Luft
Alles stinkt nach Rettich

JONGLEUR
Nach Rettich

SPASSMACHER und ENKELIN
Nach Rettich

CARIBALDI *streicht einen tiefen Ton auf dem Cello*
Er ist ein Tier
ein uneheliches Tier
Weil es sich um Verwandtschaft handelt
Ein Indiz ja
Aufgepäppelt
aus der Strafanstalt
herausgeholt
und aufgepäppelt
zum Jongleur
Das erste ist
sich Rettich
zu verschaffen

JONGLEUR
Diese ungeheuren Mengen
Rettich die er verzehrt

CARIBALDI
Rettich
Spaßmacher und Enkelin streichen wieder auf ihren Instrumenten
Bierrettich
Sodomie
Sodomie

zum Jongleur
Bierrettich
Sodomie
verstehen Sie
streicht einen langen tiefen Ton auf dem Cello in das Instrumentestreichen des Spaßmachers und der Enkelin hinein
Sodomie
Sodomie
plötzlich, am Cello zupfend, ausrufend
Müssen wir uns das gefallen lassen
daß dieser Mensch
tagtäglich die Probe sabotiert
Spaßmacher läßt die Haube ins Gesicht rutschen
Die Idee
ist der Wahnsinn
Spaßmacher setzt sich die Haube wieder auf und hält sie mit beiden Händen fest, die Baßgeige zwischen den Beinen, während der Jongleur von der Enkelin angestarrt wird
Was sitzt du da
und starrst ihn an
zum Jongleur
Das Kind ist
von Ihrer Persönlichkeit
fasziniert
Das schadet seiner Kunst
zur Enkelin
Den Jongleur anstarren
und alles andere vernachlässigen
Keine Disziplin auf dem Seil
aber den Jongleur anstarren
die Viola nichts
aber den Jongleur anstarren
Die Rechenaufgabe nicht lösen
Vergessen die Hosenknöpfe
anzunähen
Ein übles Geschöpf
mein Kind
Morgen in Augsburg
kaufe ich dir die ganze grauenhafte Literatur
und du wirst vor lauter Auswendiglernen
keine Zeit mehr haben

für den Jongleur
zum Jongleur
Und der Herr Jongleur
hat keinerlei Recht
die Dummheit
und die Unsinnigkeit meiner Enkelin
auszunützen
Spaßmacher verliert die Haube
Caribaldi über den Spaßmacher zum Jongleur
Man muß ihm die Haube
an eine Schnur nähen
und die Schnur ihm unter dem Kinn
zuziehen
zum Spaßmacher
Die Haube an eine Schnur
und unter dem Kinn zuziehen
daß die Haube
nicht mehr fallen kann
die Haube

JONGLEUR *zu Caribaldi*
Aber Herr Caribaldi
das ist es ja
worüber die Leute lachen
wenn ihm die Haube
vom Kopf fällt
Spaßmacher lacht laut auf, mit ihm die Enkelin

CARIBALDI
Das ist es
natürlich
das ist es
streicht einen Ton
Jongleur hustet
Caribaldi zum Jongleur
Malz
hören Sie
Malz
Jongleur hustet
Morgen in Augsburg

JONGLEUR *zu Caribaldi*
Ein Kompromiß
ist erforderlich
CARIBALDI
Ein Kompromiß
ein Kompromiß
JONGLEUR
Was für ein Kompromiß
Spaßmacher streicht einen Ton auf der Baßgeige
Enkelin streicht einen Ton auf der Viola, Spaßmacher und Enkelin streichen mehrere Töne auf ihren Instrumenten
Jongleur zu Caribaldi
Es ist ganz einfach
CARIBALDI
Einfach
JONGLEUR
In der Manege
darf er die Schnur
wenn eine solche angenäht ist
CARIBALDI
Wenn eine solche
JONGLEUR
Wenn eine solche wirklich angenäht ist
CARIBALDI
Wenn eine solche
JONGLEUR
Wenn eine solche wirklich angenäht ist
nicht zuziehen
CARIBALDI
Damit die Haube
deutet das Fallen der Haube an
fallen kann
JONGLEUR
Richtig
damit die Haube
fallen kann
SPASSMACHER
Fallen kann

CARIBALDI
Fallen kann
JONGLEUR
Fallen kann
SPASSMACHER
Fallen kann
JONGLEUR
Aber in Ihrer Gegenwart
Herr Caribaldi
hat er die Haubenschnur
festgebunden
zugezogen
und festgebunden
CARIBALDI
Festgebunden
JONGLEUR *zeigt den Vorgang des Haubenfestbindens, Schnurzuziehens*
Festgebunden
sehen Sie
CARIBALDI
Festgebunden
SPASSMACHER
Festgebunden
Enkelin lacht auf
JONGLEUR
Tritt der Spaßmacher auf
hat er die Haube
nicht festgebunden
tritt er nicht auf
tritt er vor Ihre Augen
Herr Caribaldi
hat er sie festgebunden
CARIBALDI
Nicht festgebunden
JONGLEUR
Festgebunden
CARIBALDI
Nicht festgebunden
JONGLEUR
Festgebunden
festgebunden

CARIBALDI
Festgebunden
JONGLEUR
Die Haube ist nicht festgebunden
damit sie fallen kann
CARIBALDI
Fallen kann
SPASSMACHER
Fallen kann
Enkelin lacht
Spaßmacher verliert die Haube und setzt sie sich gleich wieder auf
Enkelin lacht auf
CARIBALDI *zum Spaßmacher*
Natürlich
trittst du auf
hast du die Haube
nicht festgebunden
trittst du nicht auf
hast du sie festgebunden
zum Jongleur
Er hat sie festgebunden
wenn wir das Forellenquintett spielen
zum Spaßmacher
Immer während der Probe
hast du sie festgebunden
JONGLEUR *zu Caribaldi*
Sehen Sie
es ist ganz einfach
tritt er auf
hat er die Haube nicht festgebunden
damit sie fallen kann
tritt er nicht auf
hat er sie festgebunden
CARIBALDI *plötzlich zum Jongleur*
Ich kann es nicht ertragen
wenn ihm die Haube vom Kopf fällt
zum Spaßmacher
Trittst du auf
hast du die Haube festgebunden
JONGLEUR *dazwischen*
Nicht festgebunden

damit sie fällt

CARIBALDI

Damit sie fällt
festgebunden

JONGLEUR

Nicht festgebunden

CARIBALDI

Nicht festgebunden natürlich
trittst du nicht auf
hast du sie festgebunden
zum Spaßmacher
Morgen in Augsburg
eine Schnur

JONGLEUR

Spagat am besten

CARIBALDI

Am besten Spagat
und festziehen
festziehen
unter dem Kinn
unter dem Kinn
zeigt, wie man unter dem Kinn eine Schnur festzieht, damit die Haube nicht herunterfallen kann
So
siehst du
so
fest

JONGLEUR

Fest
sehr fest

CARIBALDI

Fest
fest

JONGLEUR

Fest

CARIBALDI

Damit die Haube nicht
herunterfallen kann

JONGLEUR

Denn dann lacht niemand
Sein ganzer Auftritt

ist darauf aufgebaut
daß ihm die Haube herunterfällt

CARIBALDI *zum Spaßmacher*

Daß dir fortwährend
die Haube herunterfällt
darauf aufgebaut
aufgebaut darauf

JONGLEUR

Und daß er selbst
alle Augenblick
zu Boden fällt
stürzt

CARIBALDI

Stürzt
stürzt
alle Augenblicke

JONGLEUR

Das ist Ihre eigene Erfindung
Herr Caribaldi
daß er die Haube verliert
und daß er alle Augenblicke
selbst hinfällt

CARIBALDI

Hinfällt
die Haube verliert
die Haube
hinfällt

JONGLEUR

Abwechselnd fällt ihm
die Haube vom Kopf
fällt er hin
Es ist Ihr Einfall
Herr Caribaldi
Enkelin streicht einen langen Ton auf der Viola

CARIBALDI

Es ist mein Einfall

JONGLEUR

Es ist nur wichtig
daß die Haube

CARIBALDI

Daß die Haube

JONGLEUR

Daß die Haube zum richtigen Zeitpunkt
vom Kopf fällt

CARIBALDI *schreit den Spaßmacher wütend an*

Das ist wichtig
hast du gehört
droht ihm mit dem Cellobogen
hast du gehört
Spaßmacher läßt die Haube vom Kopf fallen und setzt sie sich gleich wieder auf und hält sie mit beiden Händen fest
Caribaldi mit hocherhobenem Cellobogen
Das ist wichtig
Wichtig

JONGLEUR

Wichtig

CARIBALDI

Sehr wichtig

SPASSMACHER

Wichtig

CARIBALDI *horcht am Cello und streicht einen langen leisen Ton*

Casals
ist nie mehr
nach Spanien zurück
blickt auf den Jongleur
Nie mehr
verstehen Sie
nie mehr
streicht einen langen leisen Ton auf dem Cello
dann zur Enkelin
Und du
hast du dein Instrument gestimmt
Ist es gestimmt
Gerade weil du kein absolutes Gehör hast
Enkelin streicht nach und nach über alle Saiten ihrer Viola
Caribaldi zum Spaßmacher
Und du
Du treibst dich herum
und stimmst dein Instrument nicht
schreit alle an
Kakophonie

zum Spaßmacher
Wie du dir die Zähne nicht putzt
stimmst du auch dein Instrument nicht
zum Jongleur
Dieser üble Geruch
wenn er den Mund aufmacht
Gut daß die Manege
so groß ist
sonst vertriebe er mir mit seinem üblen Geruch
noch die Zuschauer
Wieviel waren es denn
Viele

JONGLEUR
Zwei Dutzend

CARIBALDI
Vor zwei Dutzend Leuten
zu spielen
Morgen Augsburg
Morgen Augsburg
Spaßmacher läßt die Haube fallen und setzt sie sich gleich wieder auf
Caribaldi zum Jongleur
Andere Späße
andere Nummern
andere Tiere
andere Artisten
g a n z andere Artisten
streicht hastig einen hohen Ton auf dem Cello
Enkelin streicht einen tiefen Ton auf der Viola
Spaßmacher zupft mehrere Male an der Baßgeige
Caribaldi zum Spaßmacher
Wie oft habe ich dir gesagt
Zähneputzen
Instrumentstimmen
Mir ist es gleichgültig
ob du dir zuerst die Zähne putzt
oder die Baßgeige stimmst
Gib her
Spaßmacher gibt Caribaldi seine Baßgeige
Caribaldi nimmt die Baßgeige, zupft daran
zum Jongleur

Völlig verstimmt
ein völlig verstimmtes Instrument
versucht die Baßgeige zu stimmen, zupft daran
zum Jongleur
Hören Sie
Sehen Sie
hören Sie
gibt dem Spaßmacher die Baßgeige zurück
zum Jongleur
Verfolgung der Idee
Krankheiten
durch Krankheiten zu kurieren
Durch den Tod wird das Leben verstärkt
Kakophonie
Jongleur zupft an seiner Violine
Caribaldi zupft an seinem Cello
Casals ließ sich Zeit
Casals
Jongleur zupft an seiner Violine
Enkelin streicht drei kurze schnelle Töne auf der Viola
Jongleur zupft die Violine
Man merkt
Ihr Hochschulstudium
Die Akademie merkt man
zu allen
Die Voraussetzung ist natürlich
ein gestimmtes Instrument
Ich bin nicht gewillt
Zeuge einer Kakophonie
zu sein
Ich glaube nicht
daß die Probe zustande kommt
über den Dompteur
Aber soll er nur auftauchen
Soll er nur kommen
mein Neffe
der Herr Dompteur
zur Enkelin
Gib her
Enkelin gibt Caribaldi die Viola
Caribaldi hält die Viola in die Höhe

Die Viola
Viola da braccio
versucht die Viola zu stimmen

JONGLEUR

Auf die Zarge kommt es an

CARIBALDI

Natürlich kommt es
auf die Zarge an
zupft an der Viola und gibt sie der Enkelin zurück
Tagtäglich prüfe ich
eure Instrumente
Kein Mensch kann
sein Instrument stimmen
Wie wenn es unmöglich wäre
die Zunge herauszustrecken
das ist abstoßend
Zwei Schachteln Kolophonium
in Augsburg

JONGLEUR

Einreibemedizin

CARIBALDI

Einreibemedizin
zur Enkelin
Mit dir gehe ich an den Lech
und lasse dich
auf der Lechbrücke
dreihundertmal
Ich muß meine Viola selbst stimmen
sagen
Es gibt natürlich Musiker
tatsächlich sogar Orchestermusiker
und sogar solche in philharmonischen Orchestern
die ihr Instrument nicht selbst stimmen können
sie bilden sich ein
sie können das
aber sie haben überhaupt kein Gehör
Enkelin spielt mehrere Töne auf der Viola
Caribaldi zum Jongleur
Zur Geistesschwäche
dieser Leute
dieser sogenannten Philharmoniker

kommt auch noch die Gehörschwäche
ganze Orchester leiden darunter
Man hört den Dompteur kommen
Spaßmacher verliert die Haube und setzt sie sich gleich wieder auf
Diese Schritte beweisen ja
daß er betrunken ist
lauter
Daß dieser Mensch
betrunken ist
Dompteur tritt auf

JONGLEUR *zu Caribaldi, wie der Dompteur auftritt*
Es ist eine Unglücksreise
nach Augsburg

CARIBALDI
Nach Augsburg
Morgen Augsburg
zum Jongleur über den an der Tür stehengebliebenen Dompteur
Ein betrunkener Neffe
der das Klavier
mit dem Biertisch verwechselt
zum Dompteur
Betrunken
stinkend
Als ob dir immer ein Rettich
im Maul verfault
zum Jongleur
Dieser Mensch tritt nurmehr noch
als Betrunkener auf
Er schützt seine Verletzungen vor
Er haßt nichts tiefer
als das Forellenquintett
Er ist von der Brutalität
besessen
Dompteur nimmt sich vom Klavier einen großen Rettich, der dort die ganze Zeit gelegen war; mit dem Rettich zu Caribaldi
Caribaldi stößt den Dompteur mit dem Cellobogen weg
zum Jongleur
Ein abstoßender Mensch
in der Rolle
eines abstoßenden Menschen

zur Enkelin
Daß wir nur mit dem Abstoßenden verwandt sind
verschwistert und verschwägert
mit dem Abstoßenden
zum Jongleur
Aus einem Ungeheuer
einen Menschen
gar einen Artisten
einen Musikkünstler machen
alle zupfen von jetzt an immer nervös an ihren Instrumenten oder streichen mit der gleichen, sich ständig steigernden Nervosität auf ihren Instrumenten, vor allem der Jongleur
Caribaldi um sich schauend
Als wäre die Probe möglich
ruft aus
Die Probe ist unmöglich
dem Dompteur aufs Gesicht zu
Dieser Mensch
hat sie wieder unmöglich gemacht
immer wieder dieser Mensch
Dompteur zum Klavier, setzt sich hin und haut mit dem einbandagierten Arm auf die Tasten
Die Unverschämtheit
sitzt am Klavier
Der Kunstzertrümmerer
zum Jongleur
Der Kunstzertrümmerer

JONGLEUR

Der Kunstzertrümmerer
Spaßmacher läßt die Haube ins Gesicht rutschen und bleibt mit ins Gesicht gerutschter Haube

CARIBALDI

Der Kunstzertrümmerer
Dompteur schlägt den einbandagierten Arm auf die Tasten
Der Kunstzertrümmerer
der die Kunst zertrümmert
ruft aus
Der Niedrige am Klavier
zum Jongleur
Menschenmöglich
sehen Sie

menschenmöglich
Dompteur haut zweimal mit dem einbandagierten Arm auf die Tasten
Caribaldi pathetisch zum Jongleur
Jahrzehnte
Jahrhunderte
werden auf solche Weise zertrümmert
Der Kunstzertrümmerer

JONGLEUR
Der Kunstzertrümmerer

CARIBALDI
Die Bestien zertrümmern
die Kunst
hören Sie
die Kunst wird zertrümmert
Dompteur haut mehrere Male mit dem einbandagierten Arm auf die Tasten
Das hätte ich wissen müssen
daß es sich um ein Tier handelt
Dompteur haut mehrere Male und immer wuchtiger mit dem einbandagierten Arm auf die Tasten, schließlich wirft er sich immer wieder mit der Schulter auf das Klavier
Enkelin streicht ein paarmal auf der Viola
Spaßmacher zupft an der Baßgeige

JONGLEUR
Zweifellos
eine Ungezogenheit
eine Ungezogenheit
zweifellos
Dompteur trommelt mit beiden Armen auf den Klaviertasten
Spaßmacher verliert seine Haube und setzt sie sich gleich wieder auf
Enkelin streicht die Viola zweimal

CARIBALDI
Das Kind versteht nicht
was hier gespielt wird
zum Jongleur
Sehen Sie
meine Enkelin

JONGLEUR
Ein braves Kind

Dompteur trommelt wieder auf den Tasten herum
Jongleur ruft aus
Eine entsetzliche Szene
Herr Caribaldi

CARIBALDI
Eine entsetzliche Szene

JONGLEUR
Die Zustände
die Umstände
die Zustände
wie die Umstände
sie sind so

CARIBALDI
Umsonst
wieder alles umsonst
wie wenn er völlig erschöpft wäre, streicht er einen langen Ton auf dem Cello
Enkelin begleitet ihn auf der Viola
Caribaldi plötzlich auffahrend, zum Dompteur
Hinaus
hinaus
Er muß hinaus
noch heftiger
Das Tier muß hinaus
hinaus das Tier
Jongleur steht auf
Fort
fort
den Menschen fort
das Tier weg
weg das Tier
Dompteur läßt seinen Kopf auf die Klaviertasten fallen, die Arme fallen
Caribaldi schreit
Weg
weg
weg
will aufspringen, kann aber nicht, setzt sich wieder
Enkelin zupft an der Viola
Das Tier weg
weg das Tier

JONGLEUR *einen Schritt zurücktretend*
Natürlich
Herr Caribaldi
zum Dompteur, den er bei den Haaren packt; dreht sich nach dem Spaßmacher um; Spaßmacher läßt die Haube fallen und setzt sie sich gleich wieder auf, springt auf und zum Dompteur hin. Jongleur und Spaßmacher heben den Dompteur, der volltrunken ist, auf
Er kann nicht mehr
auf den Beinen stehen
Herr Caribaldi
CARIBALDI *nach einer Pause*
Weg
weg
hinaus
JONGLEUR
Das Leben besteht darin
Fragen zu vernichten
CARIBALDI *vom Dompteur, von allem abgestoßen*
Weg
weg
weg
Enkelin läßt die Viola fallen
Jongleur und Spaßmacher mit dem Dompteur ab
Caribaldi nach einer Pause zur Enkelin
Siehst du
hörst du
siehst du
Enkelin stürzt entsetzt, aber wortlos den andern nach. Caribaldi erhebt sich langsam, mühselig und stellt das Cello an die Wand und fängt an, Notenständer, Instrumente und Sessel an die Wände und in die Ecken zu stellen, wie wenn er alles aufräumen wollte – plötzlich, immer schneller, immer hastiger. Hat er alle Sessel und alle Notenständer weggeräumt, läßt er sich in den Fauteuil fallen, läßt den Kopf sinken und sagt
Morgen Augsburg
Er dreht das Radio neben sich auf. Aus dem Radio das Forellenquintett. Fünf Takte

Ende

Aufführungsdaten

Ein Fest für Boris
Uraufführung: Deutsches Schauspielhaus, Hamburg, 29. 6. 1970
Regie: Claus Peymann

Der Ignorant und der Wahnsinnige
Uraufführung: Salzburger Festspiele, 29. 7. 1972
Regie: Claus Peymann

Die Jagdgesellschaft
Uraufführung: Burgtheater, Wien, 4. 5. 1974
Regie: Claus Peymann

Die Macht der Gewohnheit
Uraufführung: Salzburger Festspiele, 27. 7. 1974
Regie: Dieter Dorn

Copyrightangaben

Thomas Bernhard
Sein Werk im Suhrkamp Verlag

Alte Meister. Komödie. Leinen, BS 1120 und st 1553
Amras. Erzählung. BS 489 und st 1506
Auslöschung. Ein Zerfall. Leinen, st 1563 und st 2558
Beton. Erzählung. Leinen, BS 857 und st 1488
Die Billigesser. st 1489
Claus Peymann kauft sich eine Hose und geht mit mir essen. Drei Dramolette. Bütten-Broschur und st 2222
Der deutsche Mittagstisch. Dramolette. Mit zahlreichen Abbildungen es 1480
»Die eigentliche Natur und Welt ist in den Zeitungen«. Herausgegeben von Wolfram Bayer und Wendelin Schmidt-Dengler. Gebunden
Elisabeth II. Keine Komödie. BS 964
Ereignisse. Bütten-Broschur und st 2309
Erzählungen. st 1564
Ein Fest für Boris. es 3318
Frost. BS 1145 und st 47
Gehen. st 5
Gesammelte Gedichte. Herausgegeben von Volker Bohn. Leinen und st 2262
Heldenplatz. BS 997 und st 2474
Holzfällen. Eine Erregung. Leinen, BS 927 und st 1523
Der Ignorant und der Wahnsinnige. BS 317
In der Höhe – Rettungsversuch, Unsinn. BS 1058 und st 2735
In hora mortis. IB 1035
Die Irren. Die Häftlinge. IB 1101
Ja. st 1507
Das Kalkwerk. Roman. st 128
Korrektur. Roman. Leinen und st 1533
Die Macht der Gewohnheit. Komödie. BS 415
Midland in Stilfs. Drei Erzählungen. BS 272
Der Schein trügt. BS 818
Der Stimmenimitator. Leinen, BS 770, st 1473 und IC 30
Stücke 1. Ein Fest für Boris. Der Ignorant und der Wahnsinnige. Die Jagdgesellschaft. Die Macht der Gewohnheit. st 1524
Stücke 2. Der Präsident. Die Berühmten. Minetti. Immanuel Kant. st 1534
Stücke 3. Vor dem Ruhestand. Der Weltverbesserer. Über allen Gipfeln ist Ruh. Am Ziel. Der Schein trügt. st 1544
Stücke 4. Der Theatermacher. Ritter, Dene, Voss. Einfach kompliziert. Elisabeth II. st 1554

22/1/4.97

Thomas Bernhard
Sein Werk im Suhrkamp Verlag

Der Theatermacher. BS 870
Der Untergeher. Roman. Leinen, BS 899 und st 1497
Verstörung. BS 229 und st 1480
Wittgensteins Neffe. Eine Freundschaft. BS 788, st 1465 und st 2618

Thomas Bernhard-Lesebuch. Zusammengestellt von Raimund Fellinger. st 2158

Zu Thomas Bernhard
Augustin Baumgartner: Auf den Spuren Thomas Bernhards. Mit etwa 50 vierfarbigen Abbildungen. Gebunden

Materialien
Antiautobiographie. Zu Thomas Bernhards »Auslöschung«. Herausgegeben von Irène Heidelberger-Leonard und Hans Höller. st 2488
Thomas Bernhard. Werkgeschichte. Herausgegeben von Jens Dittmar. stm. st 2002

22/2/4.97